Deseo

WITHDRAWN

Danza de pasión
KATHERINE GARBERA

D0669480

⊕ **HARLEQUIN**™

Editado por HARLEQUIN IBÉRICA, S.A.
Núñez de Balboa, 56
28001 Madrid

I.S.B.N.: 978-84-9010-890-1
Depósito legal: M-8221-2012
Editor responsable: Luis Pugni
Fotomecánica: M.T. Color & Diseño, S.L. Las Rozas (Madrid)
Impresión en Black print CPI (Barcelona)
Fecha impresion para Argentina: 5.11.12
Distribuidor exclusivo para España: LOGISTA
Distribuidor para México: CODIPLYRSA
Distribuidores para Argentina: interior, BERTRAN, S.A.C. Vélez
Sársfield, 1950. Cap. Fed./ Buenos Aires y Gran Buenos Aires,
VACCARO SÁNCHEZ y Cía, S.A.
Distribuidor para Chile: DISTRIBUIDORA ALFA, S.A.

Capítulo Uno

El ritmo de la Pequeña Habana latía en las venas de Jen Miller cuando aparcó el coche en una de las calles adyacentes a la Calle Ocho y se dirigió a Luna Azul, contenta de que los hermanos Stern la hubieran contratado como profesora de salsa en su club nocturno.

El club era poco común. Los hermanos Stern habían provocado un escándalo al comprar la vieja fábrica de cigarros puros, en el corazón de la Pequeña Habana, y transformarla en uno de los mejores clubs de Miami. Y algunos miembros de la comunidad cubano americana aún no se lo habían perdonado.

Con un bolso grande colgado del hombro, cruzó la impresionante entrada de Luna Azul. Y se detuvo un momento, como siempre hacía, para admirar la araña del techo de Dale Chihuly: el tema era un cielo nocturno con una enorme luna azul. El tema se extendía al logotipo del club y a los colores de los uniformes de los empleados.

Estaba contenta de trabajar ahí. Y más contenta aún de tener la oportunidad de bailar otra vez. Tres años antes, una mala decisión que tomó, basada en el corazón en vez de en la razón, era la causa de que le hubieran prohibido participar en baile de competición.

Pero ahora, ahí estaba, dando clases de su baile preferido, dando clases de salsa.

La salsa era un baile procedente del Caribe y, aunque ella era cien por cien americana, sentía ese baile dentro de sí, como si estuviera hecho a su medida.

Mientras se adentraba en el club, vio que estaban preparando el escenario principal para la actuación, aquella noche, de XSU, el grupo inglés de rock que había tenido un rotundo éxito en Estados Unidos el año anterior. Su hermana y la mejor amiga de ésta le habían rogado que les consiguiera entradas para el concierto, y ella se las había conseguido.

El club estaba dividido en varias zonas. En el piso bajo, delante del escenario, había una enorme pista de baile rodeada de mesas altas con taburetes y también mesas retiradas en pequeños y oscuros espacios reservados. En el piso superior, donde ella pasaba la mayor parte del tiempo, había una sala de ensayos con un pequeño bar y un entresuelo con vistas al piso bajo. Pero las auténticas joyas de este piso eran la galería, a la izquierda, y el escenario, al fondo.

Era ahí donde, cada noche, Luna Azul llevaba a cabo las famosas fiestas de los viernes por la noche de la Calle Ocho. En el club, todas las noches eran una fiesta de música y baile latinoamericanos en la que participaban los artistas más importantes de ese tipo de música.

Y ahí estaba ella, formando parte de aquello.

Cuando Jen entró en la sala de ensayos, su ayudante la saludó.

–Llegas tarde.

–No, Alison, llego justo a mi hora.

Alison arqueó una ceja. Aunque agradable y simpática, Alison tenía obsesión con la puntualidad.

–A propósito, he traído un nuevo CD –añadió Jen.

–¿Qué CD?

–Una recopilación de mi música preferida, viejos clásicos de la salsa. Quiero que la clase de esta noche sea diferente.

–¿Por qué? ¿Qué tiene esta noche de especial? –preguntó Alison.

–T.J. Martínez se ha apuntado.

–¿El jugador de béisbol de los Yankees?

–Sí. Y como es amigo de Nate Stern, he pensado que debíamos hacer un esfuerzo especial –había que tener contentos a los dueños del club y a sus amigos.

–Quizá deberías haber llegado un poco antes.

–Alison, para. Aún faltan treinta minutos para que la clase empiece.

–Lo sé, perdona. Es que hoy estoy un poco tonta.

–¿Por qué?

–Van a enviar a Marc a Afganistán otra vez.

–¿Cuándo? –preguntó Jen.

Marc era el hermano de Alison y los dos estaban muy unidos. Alison solía decir que Marc era la única persona que tenía en el mundo.

–Dentro de tres semanas. Yo…

Jen se acercó a su amiga y la abrazó.

–Ya verás como no le pasa nada. Marc sabe cuidar de sí mismo. Y mientras está fuera, sabes que puedes contar conmigo.

Alison le devolvió el abrazo.

–Tienes razón. Bueno, venga, dime qué canciones vas a poner esta noche.

Jen sabía que Alison necesitaba sumergirse en la música aquella noche con el fin de olvidar sus problemas durante un tiempo. Admiraba el valor de Alison. Debía ser muy duro tener un hermano soldado.

La música reverberó en la sala mientras Alison y ella comenzaron su rutina. Alison no bailaba mal, aunque no lo suficientemente bien como para formar parte del mundo del baile de competición. Pero, para el Luna Azul, era más que suficiente.

–Me gusta –dijo Alison.

–Estupendo. Y ahora, quiero que des un golpe de cadera más pronunciado en el sexto cambio de ritmo, así… –Jen hizo una demostración.

–Muy bien, señorita Miller.

Jen se tambaleó y, al volver la mirada, vio a Nate Stern en la puerta.

Era alto, alrededor de un metro ochenta y tres, de pelo rubio muy corto. El bronceado natural de su piel era la envidia de todo el mundo y cualquier ropa que se pusiera le sentaba bien. Era de mandíbula fuerte y tenía una pequeña cicatriz en la barbilla, resultado de un accidente de pequeño jugando al béisbol.

¿Por qué sabía ella tantas cosas de Nate? Sacudió la cabeza. Uno de los motivos por los que había solicitado aquel trabajo era que Nate Stern le gustaba desde que, siendo fan de los Yankees, le había visto jugar.

–Gracias, señor Stern –respondió ella.

–Jen, me gustaría hablar un momento con usted.

–Alison, ¿podrías dejarnos solos?

–No es necesario que Alison se vaya –dijo Nate Stern–. Por favor, venga conmigo a la galería.

Jen respiró hondo. No le gustaba recibir órdenes ni someterse a la voluntad de nadie.

–Continúa ensayando –le dijo a Alison.

Alison asintió, y Stern y ella se dirigieron a la galería. Estaba nerviosa. Si quería seguir bailando, ese trabajo era todo lo que tenía. Si la despedían, iba a tener que dejar de bailar y aceptar el trabajo de secretaria en el despacho de abogados que su hermana, Marcia, le había ofrecido. Y no quería eso.

–¿Algún problema?

–No, todo lo contrario. Todo el mundo habla muy bien de usted y quería ver cómo son las clases.

–¿Va a asistir a la clase de esta noche? –preguntó Jen.

–Sí, así es.

–Ah, estupendo –respondió Jen con una falsa sonrisa–. Tengo entendido que uno de sus antiguos compañeros de equipo se ha apuntado a nuestra clase.

–Sí, Martínez. Yo quería venir para ver qué tal se maneja enseñando a bailar a alguien famoso.

Jen alzó los ojos hacia el techo. ¿Acaso ese hombre creía que iba a tratar a T.J. Martínez de forma diferente a como trataba al resto de sus alumnos?

–¿Cree que no voy a saber comportarme con una persona famosa?

–No tengo ni idea –contestó él–. Por eso es por lo que he decidido asistir a la clase.

Aunque estaba furiosa, Jen mantuvo la calma.

–Soy una profesional, señor Stern. Por eso es por lo que me contrató su hermano. No es necesario que asista a una de mis clases de salsa, le aseguro que sé hacer mi trabajo.

–¿Acaso le he ofendido? –preguntó Nate ladeando la cabeza.

–Sí, lo ha hecho.

Él le dedicó una rápida sonrisa, que le cambió la arrogante expresión que tenía por una encantadora.

–Lo siento, no era esa mi intención. La asistencia de gente famosa a este club es lo que nos hace estar por encima del resto de los clubs de Miami, y quiero que siga siendo así.

Jen asintió.

–Lo comprendo. Y le aseguro que la clase de esta noche no va a dañar la reputación de Luna Azul. Y estaré encantada de tenerle en mi clase esta noche.

–¿En serio?

–Sí –Jen giró sobre sus talones y comenzó a caminar en dirección a la sala de ensayos–. Porque, después de esta noche, va a tener que pedirme disculpas por haber puesto en duda mi profesionalidad.

La risa de él resonó en el vestíbulo.

***

Nate la observó mientras se alejaba, y se arrepintió de no haber ido allí antes. Jen Miller era graciosa, tenía agallas y era bonita. Tenía piernas largas y cuerpo esbelto. Era una buena bailarina y se le notaba hasta en la forma de andar.

Permaneció en el patio, contemplando el cielo del atardecer. Era febrero y hacía fresco. De la cocina del patio salía el olor a comida cubana.

Había hecho lo que tenía que hacer para mantener la imagen del club. Al fin y al cabo, él estaba al frente de Luna Azul; aunque tenía gracia ser el propietario, junto con sus hermanos, del club más famoso de la Pequeña Habana y no ser hispanoamericanos.

Nate era el menor de tres hermanos, Justin era el del medio y Cam el mayor. La idea de transformar la antigua fábrica de cigarros puros en un club nocturno había sido de Cam. Justin era el experto en finanzas y quien, desde el principio, sabía que ganarían dinero invirtiendo su fondo fiduciario en el club.

En ese tiempo, Nate, inmerso en el mundo del béisbol, se había limitado a firmar, y así había dado por zanjado el asunto. Pero cuando dos años más tarde una lesión en el hombro le obligó a dejar el béisbol, se alegró enormemente de que Cam y Justin hubieran comprado la fábrica y hubiesen abierto un club.

Enseguida descubrió que él también tenía algo

que aportar al negocio: una larga lista de contactos entre los famosos.

Por mucho que le gustara el béisbol, era un Stern de pies a cabeza y, por lo tanto, muy sociable. Algo que los reporteros notaron en el momento en que llegó a Nueva York para jugar con los Yankees. Y él se había encargado de que hubiera continuado siendo así.

Utilizaba su fama para darle publicidad al club. Y aunque hacía ya más de seis años que había dejado el béisbol, seguía siendo uno de los diez jugadores más famosos del equipo.

–¿Qué haces aquí arriba? –le preguntó Justin al salir de la zona de cocina.

Justin era cinco centímetros más alto que él y tenía el cabello castaño oscuro. Los dos tenían los mismos ojos que su madre y la fuerte mandíbula de su padre, un rasgo característico de los varones Stern.

–Acabo de hablar con la profesora de salsa. T.J. va a venir a la clase de baile esta noche y quería estar seguro de que la profesora iba a saber comportarse.

–Le ha debido encantar.

–¿La conoces? –preguntó Nate, sintiendo una leve punzada de celos por la familiaridad con que su hermano hablaba de Jen.

–No mucho. Pero la entrevisté para el trabajo y tiene mucha confianza en sí misma. No le gusta que pongan en duda su profesionalidad.

–¿A quién le gusta eso? –preguntó Nate.

–A mí no, desde luego. Mañana tengo una reunión con las fuerzas vivas de la comunidad. Quieren que se tenga en cuenta su opinión respecto a la fiesta para celebrar el décimo aniversario del club.

–¿Cuándo van a aceptar que somos parte de esta comunidad y que no nos vamos a mover de aquí? –preguntó Nate.

–Nunca se van a dar por satisfechos –declaró Cam, que acababa de aparecer en el patio–. ¿Qué estáis haciendo aquí? Os necesito abajo, para recibir a la banda de música.

–Ahora mismo voy –dijo Nate–. También tengo que recibir al periodista del *Herald*. Y estoy casi seguro de que Jennifer López va a pasarse por aquí esta noche; está en la ciudad y su gente ha dicho que iba a acercarse al club. Y tengo que ver cuántos más famosos van a venir.

–Estupendo, me gusta lo que dices –dijo Cam.

–Lo sé, por eso me paso las noches de fiesta –contestó Nate.

–¡Ya! Lo haces porque te gusta –interpuso Justin.

–Claro que me gusta. Es genético. No he nacido para sentar la cabeza.

–¿Como papá? –preguntó Justin.

–Sí, como papá. Creo que es por eso por lo que él y mamá no se llevaban bien –dijo Nate.

–Por eso y porque mamá era muy fría –añadió Cam.

Nate apartó los ojos de sus hermanos. Su madre nunca había querido tener hijos y les había dedicado el menor tiempo posible. A cada uno de los tres le había afectado de forma diferente. En lo que a él se refería, no se fiaba de las mujeres, estaba convencido de que, tarde o temprano, siempre acababan abandonando al hombre con el que estaban.

–Bueno, creo que los tres sabemos lo que tenemos que hacer esta noche –declaró Cam–. ¿Qué tal tus negociaciones con las fuerzas vivas de la comunidad?

–Lentas. He invitado a unos cuantos al espectáculo de esta noche para que vean hasta qué punto somos parte de la Calle Ocho.

–Muy bien. Mantenme informado –dijo Cam.

–Lo haré.

Nate y sus hermanos bajaron al piso de abajo. Ahí en medio, con el club casi vacío, Nate miró a su alrededor. Era difícil creer que aquel lugar había sido una fábrica de cigarros puros.

De pequeño nunca había pensado en el futuro. Una vez que se convirtió en un jugador de béisbol profesional, había supuesto que continuaría jugando hasta los treinta y tantos años y que luego pasaría a trabajar de comentarista deportivo. Pero la lesión, tan joven, había cambiado sus objetivos.

Pero no le pesaba, le gustaba lo que hacía.

–Nate…

Se volvió y vio a T.J. Martínez en el vestíbulo, debajo de la estructura colgante de Chihuly.

–¡T.J., amigo! ¿Qué tal el vuelo?

–Bien, muy bien. Listo para un poco de acción esta noche.

–Igual que yo –respondió Nate estrechándole la mano a su amigo al tiempo que se abrazaban–. Tengo entendido que te has apuntado a clases de salsa.

–Mariah ha insistido mucho en que tomara clases, ha dicho que la profesora es de lo mejor y que sería una estupidez desperdiciar la ocasión. Y Paul ha dicho que la profesora estaba estupenda.

–Lo verás por ti mismo. La primera clase empicza dentro de media hora. ¿Te apetece una cerveza antes?

–Claro. Así te cuento las novedades del club. Corre el rumor de que O´Neill va a cambiar de equipo.

Nate condujo a su amigo al bar y charlaron de béisbol y de los jugadores que ambos conocían. Sin embargo, aunque se esforzaba por concentrarse en lo que hablaban, no lograba dejar de pensar en Jen. Pero no le dio importancia.

–Bueno, vámonos ya. No quiero que llegues tarde a tu primera clase.

–¿Vas a venir conmigo?

–Sí, ¿te importa? Aún no he asistido a ninguna clase de salsa y, tal y como tú has dicho, la profesora es… muy buena.

T.J. echó la cabeza hacia atrás y lanzó una carcajada. Los dos acabaron las cervezas y subieron al piso superior, a la clase de Jen.

Capítulo Dos

Por primera vez, con la música flotando a su alrededor, un hombre consiguió distraerla. Nate Stern la hacía consciente del movimiento de sus caderas. Y cuando la raja de la falda dejaba al desnudo una de sus piernas, sentía los ojos de él fijos en ella.

Los ojos de Nate Stern únicamente.

¿Por qué?

¿Por qué Nate Stern? Iba a conducirla al desastre. No podía permitirse el lujo de que le gustara su jefe. La última vez que le había gustado un hombre con autoridad sobre ella había acabado de mala manera.

Su hermana Marcia se enfadaría con ella y le echaría en cara no haber aprendido la lección. No, no podía repetir los mismos errores.

Y para colmo, T.J. podía ser un genio del béisbol, pero era incapaz de aprender los pasos básicos de salsa. Y no creía que fuera tan difícil.

Alison estaba encargándose de unos alumnos al fondo de la sala cuando empezó a sonar *Mambo número cinco*.

Con el mando de control remoto, paró la música. Aquella era la canción con la que el club abría sus puertas todas las noches. Alison y ella, cada noche, se colocaban en la parte de atrás y, veinte minutos después de abrir, escenificaban un baile flamenco.

–Muy bien. ¿Listos para demostrar lo que han aprendido? –preguntó Jen–. Al apuntarse a esta clase, lo más seguro es que no se dieran cuenta de que van a ser las estrellas de la apertura del club esta noche.

Los hombres allí presentes lanzaron gruñidos de protesta y también se oyeron unos cuantos aplausos.

–Lo importante es no olvidar que se trata de una música sensual. Tienen que sentirla en el cuerpo. Y no tengan miedo de hacer el ridículo, bailan muy bien.

–Creo que yo solo siento algo cuando juego al béisbol –dijo T.J.

–No se preocupe, señor Martínez, lo hará bien.

–Por favor, tutéame y llámame T.J. –dijo él con una encantadora sonrisa, mostrando una dentadura perfecta y muy blanca.

–De acuerdo. Y como eres el famoso de esta noche, nos gustaría invitarte a que encabeces la fila de la conga y luego, por supuesto, el primer baile.

La política del club era dar publicidad a las clases. Para ello, siguiendo la directiva de Nate Stern, solían hacer que algún famoso participara en ellas, así atraían la atención de la gente.

–Me parece que no soy el tipo adecuado para eso.

Jen le sonrió.

–Me aseguraré de que así sea.

Volvió a poner en marcha la música y se acercó a T.J., todo el tiempo consciente de los ojos de Nate en ella.

Bailaba desde los trece años y estaba acostumbrada a que los hombres la miraran. Y esa noche... esa noche quería que Nate la viera y la deseara. Sabía que era una mujer atractiva; pero cuando bailaba... cuando bailaba era sumamente hermosa.

Sonriendo a T.J., se colocó detrás de él y le puso las manos en las caderas.

—Relájate y déjate llevar —le dijo Jen.

Él asintió y, al cabo de unos momentos, ella comenzó a moverle las caderas. T.J. trató de mover los pies, pero se tropezó.

—No te muevas, siente el ritmo de la música.

—Me parece que ese método no va a funcionar, señorita Miller —dijo Nate—. Permítame que le haga una demostración a mi amigo.

Jen miró a su jefe; después, apartó las manos de T.J. y se separó de él.

Pero en vez de acercarse a T.J., Nate se aproximó a ella y le puso las manos en las caderas.

—Muévase para dejarme que sienta el ritmo.

Le había hablado en voz baja, sólo para que ella le oyera, y respondió al instante. Comenzó a moverse al ritmo de la música.

Nate, al contrario que T.J., se movía con gracia natural. Había colocado las manos en la posición adecuada para ese baile: una mano en la cadera de ella y la otra sujetándole una mano. Y cuando clavó los ojos en los suyos, los demás dejaron de existir.

En ese momento, Nate no era su jefe ni alguien importante en la comunidad.

Nate era su compañero de baile, su hombre, mientras se dejaba arrollar por el baile. Mientras bailaban, se mantuvieron la mirada. Nate sabía lo que era la sensualidad. En los brazos de él, ella era algo más que una profesora de baile.

La salsa era una música de pasión y sexo, era una seducción, una promesa de lo que podía ser. Sintió cómo se le derrumbaban las defensas.

Por mucho que se empeñara, no iba a poder mantener las distancias con ese hombre... si él se empeñaba en lo contrario. Y cuando la música llegó a su fin y dejaron de moverse, sabía que Nate la quería pegada a su cuerpo; o, al menos, eso era lo que ella quería. Quería volver a sentir las manos de Nate en las caderas, sujetándola, mientras clavaba los ojos en las negras profundidades de los de él.

Nate no comprendía por qué se sentía tan posesivo con Jen. Ella no era más que una cara bonita y una empleada; sin embargo, al verla con las manos en las caderas de T.J., se había puesto furioso.

Pero una vez que la había rodeado con los brazos, se había dado cuenta de cuál era el problema. La deseaba. Y desearla complicaba la situación. No obstante, al bailar, había descubierto que Jen también estaba interesada en él.

Después de que la música parase, entre aplausos, Jen se mordió el labio inferior y se apartó de él.

–Así tenéis que bailar todos –dijo ella–. Vais a ensayar y a prepararos para el debut de esta noche.

–No creo que yo pueda bailar así –declaró T.J.

–No te preocupes –contestó Nate–, yo ocuparé tu lugar. A menos que tenga alguna objeción, señorita Miller.

Jen se sonrojó y sacudió la cabeza.

–Es usted un buen compañero de baile, señor Stern.

–Tuteémonos. Llámame Nate.

Ella asintió. Después, volvió la atención de nuevo a sus alumnos.

–¿Por qué no me habías dicho que había algo entre ella y tú? –preguntó T.J.

–No hay nada entre nosotros. Ha sido solo un baile.

–Eso ha sido mucho más que un baile, amigo, ha sido puro sexo –contestó T.J.–. Supongo que mejor me aparto y te dejo el camino libre.

Nate se encogió de hombros. Había sentido algo intenso, pero no era la primera vez que le ocurría. La señorita Miller era una mujer atractiva y despertaba su curiosidad. Quizá se debiera a los sensuales labios, a la estrecha cintura o al cuerpo de bailarina.

Le gustaría explorar ese cuerpo con detenimiento; pero, además de ser el jefe de ella, las relaciones a largo plazo no eran su fuerte.

–¿Qué hay del baile? –dijo Jen, acercándose a ellos–. En vez de hablar, deberían estar ensayando.

–Perdón –se disculpó T.J.–. Me parece que soy una causa perdida.

–Vamos a seguir intentándolo, ¿te parece? No te des por vencido todavía. Nate puede ayudarte con el movimiento de los pies, se le da muy bien.

–Prefiero ensayar con una bonita mujer que con un jugador de béisbol jubilado.

–Lo mismo digo –dijo Nate.

–Lo siento, pero tengo que atender a los demás alumnos también. Y, al parecer, no consigo hacerte sentir el baile –dijo ella–. Nate, ¿cuál crees que es el problema?

Nate se dio cuenta de que Jen estaba siendo sincera. Quería que le ayudara con T.J. y, por primera vez, fue consciente de lo importantes que eran las clases de baile para ella. Hasta ese momento no lo había notado, toda su atención fija en el cuerpo de ella y en sus sensuales movimientos.

–No te lo puedo decir con certeza, pero supongo que T.J. está acostumbrado al deporte, y el baile es algo más sutil, ¿no?

–Sí, creo que tienes razón.

–¿Qué tal una copa? Algunas personas se ponen nerviosas si se les pide que bailen delante de los demás, y una copa les tranquiliza.

–Ni siquiera un barril de cerveza me relajaría –respondió T.J.–. De todos modos, te agradezco el interés.

–Es mi trabajo.

–Y se te da muy bien –comentó T.J.–. Se lo diría a tu jefe, pero creo que él ya lo sabe.

Jen le miró.

–¿Lo sabe?

Nate asintió.

–Sí, eres muy buena profesional.

Nate se dio cuenta de que Jen estaba coquetean-do con él y eso le bastó para decidir que también él podía hacerlo.

Jen se plantó delante de sus alumnos y les dijo que se tomaran cinco minutos de descanso, antes de empezar a ensayar el baile con que abrirían el club esa noche.

Nate la siguió afuera. Ella se detuvo en el corre-dor al darse cuenta de que él la había seguido.

–Siento que T.J. no consiga progresar –dijo Jen.

–No te preocupes. Tú has hecho todo lo que has podido.

Jen asintió.

–No estoy segura de que sea buena idea que tú y yo bailemos juntos.

–¿Por qué no? –preguntó Nate, dando un paso hacia Jen.

Ella se rodeó la cintura con un brazo y ladeó la cabeza. La cola de caballo que sujetaba su bonito ca-bello castaño le acarició el hombro. Él alargó una mano para acariciárselo. El cabello de Jen era muy suave.

–Por eso precisamente –declaró Jen–. Estoy em-pezando a olvidar que eres mi jefe, Nate. Y me gusta este trabajo.

–Bailar conmigo no va a poner en peligro tu puesto de trabajo –dijo él.

–Pero si algo… –Jen, arrugando la nariz, se inte-rrumpió.

–¿Qué?

–Sería embarazoso y realmente me gusta este trabajo –insistió Jen; después, se dio media vuelta y se alejó.

Y Nate la dejó marchar, consciente de que Jen estaba preocupada y de que él, verdaderamente, solo sabía de ella que era una cara bonita.

Jen quería pasar la noche entera bailando con Nate, olvidarse de las consecuencias de sus actos y entregarse por entero a la atracción que sentía por él.

Pero ya no era una niña y ya había pagado un precio muy alto por la equivocación de rendirse al deseo en el pasado. No iba a cometer el mismo error una segunda vez.

¿O sí?

Siempre estaba buscando un hombre que la hiciera sentirse como Nate la hacía sentirse bailando con él. Y no era solo el baile, sino la forma como la miraba y la facilidad con la que se movían al mismo ritmo, instintivamente.

Pero quería hacer algo más que bailar salsa con él. Quería pegarse a su cuerpo con Carlos Santana como música de fondo.

«Para».

Necesitaba ese trabajo. Había dejado atrás el pasado, ahora era una nueva Jen Miller, que anteponía la familia a sus deseos y que era una buena chica.

No debía olvidarlo. Marcia le había ofrecido un

hogar cuando lo había necesitado y ella le había prometido a su hermana que cambiaría.

Marcia siempre la había considerado una niña mimada y, en realidad, lo era. Desde los ocho años había mostrado talento para el baile y todos habían esperado grandes cosas de ella. Y a ella le había resultado todo muy fácil.

No había esperado venirse abajo y tener que dejar el mundo del baile de competición a los veintiséis años. Y si quería seguir bailando, y eso era lo único que sabía hacer, tenía que conservar ese trabajo.

Lo que significaba mantener las distancias con Nate Stern.

—¿Te pasa algo? —le preguntó Alison, reuniéndose con ella en el pasillo.

—Sí. Estoy tratando de recuperar la respiración antes de continuar.

—Nate y tú…

—Sí, lo sé. Nos compenetramos bailando.

—¡Y de qué manera! Creo que deberías sacarle provecho —dijo Alison.

—¿Cómo?

—Si yo fuera tú, haría que viniera todas las noches a bailar.

—Dudo que tenga tiempo para eso, es un hombre muy ocupado —respondió Jen—. Bueno, ¿lista?

—Sí. ¿Te vas a quedar a ver la actuación principal de esta noche?

—Es posible. ¿Y tú?

—Sí. He quedado aquí con mi novio.

–¿Qué tal te va con Richard?

–Bien –respondió Alison–. No es una relación de por vida, pero lo pasamos bien juntos.

Eso era lo que ella quería, algún hombre con el que pasarlo bien y que no le rompiera el corazón. Sin embargo, desgraciadamente, eses tipo de relaciones no eran para ella. Por eso era por lo que Nate le preocupaba tanto.

¿Por qué no podía ser como Alison, divertirse con él y nada más? ¿Por qué?

Había empezado una nueva vida, ¿no? ¿Por qué no cambiar también de actitud respecto a los hombres? ¿Por qué no divertirse y dejarse de complicaciones?

–¿Cómo haces para no implicarte emocionalmente, para no enamorarte? –le preguntó a Alison.

Alison se encogió de hombros.

–Richard no es el hombre de mi vida. Con él, lo único que quiero es divertirme, nada más. Y si le llamo y no está disponible, llamo a otro.

Jen no sabía si era capaz de semejante comportamiento, aunque quería serlo.

–Me encantaría ser como tú –dijo Jen.

–¿Cómo vas a ser como yo si no sales con nadie? Hace dieciocho meses que te conozco y ni siquiera te he visto tomarte un café con un hombre.

–Tienes razón, lo sé.

Alison sonrió.

–¿Quieres venir con Richard y conmigo esta noche?

Jen sacudió la cabeza, pero entonces se dio cuenta de que necesitaba hacer algo diferente.

—Está bien, iré con vosotros.

—Estupendo. Richard siempre va con amigos y estoy segura de que, al menos, le gustarás a dos de ellos.

Jen tragó saliva.

—¿Y si no puedo…?

—Tranquila, no pasará nada. No hay ningún compromiso.

Volvieron a entrar en la sala de ensayos. Nate estaba a un lado, hablando por teléfono, y ella se lo quedó mirando.

Y fue cuando, de repente, se dio cuenta de que no quería divertirse con ninguno de los amigos de Richard. Quería hacerlo con Nate. Era por él por lo que se le había ocurrido cambiar de forma de comportarse con los hombres.

Quería estar con él y no hacía falta ser un genio para darse cuenta de que Nate no era la clase de hombre que buscaba una relación estable. Nate cambiaba de acompañantes constantemente y se hablaba de él en la prensa con frecuencia.

Jen sacudió la cabeza. A pesar suyo, sabía que, tarde o temprano, no iba a negarse a sí misma el placer de conocer a Nate mejor.

Porque Nate era la clase de hombre que le gustaba.

Capítulo Tres

Nate lanzó una mirada alrededor y, entre la multitud, divisó suficientes famosos como para hacer que la fiesta en el club resultara interesante. Entonces, se inclinó hacia delante, sobre Jen, y le susurró al oído:

—Ahí está Hutch Damien, ¿lo ves? Vamos a hacer que se una a la cola de la conga.

—No le conozco.

—Pero yo sí. Vamos hacia allí —dijo Nate.

Condujo a Jen mientras la fila de la conga serpenteaba entre las mesas.

Jen no tenía micrófono; en ese club, el *disc-jokey* era quien hacía que los clientes se pusieran en pie y bailaran. Dejó la fila de la conga y se acercó a Hutch Damián.

—¿Quieres bailar? —le preguntó coqueta.

—Nunca rechazo a una mujer bonita —respondió Hutch con una sonrisa traviesa.

Hutch se puso en pie y Nate le hizo sitio en la fila de la conga. Al ritmo de la música, Jen continuó aumentando la fila, muchos de los presentes querían poder decir que habían bailado con Hutch Damien.

Hutch era una estrella de Hollywood que, en la adolescencia, había sido músico de rap y había alcanzado enorme fama como tal. Pero su atractivo físico le había llevado a Hollywood y a un gran éxito en las pantallas. Y, además, era un tipo simpático.

Él y Nate, ambos niños ricos, se conocían del colegio. Pero como eso no casaba con la imagen pública de Hutch, de antiguo rapero, no lo mencionaban.

Jen les condujo al centro de la pista de baile y se hizo a un lado en el momento en que la música cesó, antes de que el *disc-jokey* pusiera la canción *Hips Don´t Lie*, de Shakira.

Nate dejó a T.J. y a Hutch en la pista de baile en el momento en que un grupo de mujeres se les acercó para bailar con ellos y, probablemente, para sacarles fotos con los móviles.

Durante los tres cuartos de hora siguientes, no consiguió ver a Jen. Envió un mensaje a Cam para ver si le necesitaba para algo. Después, en Tweeter, mencionó el hecho de que Hutch y T.J. estaban bailando en el club.

Por fin, se metió el móvil en el bolsillo y fue a buscar a sus amigos a la zona VIP. Los encontró con facilidad y se sentó con ellos. Pero no podía pasar toda la noche allí sentado, necesitaba asegurar la presencia de famosos por todo el club.

Cuando más trabajaba era de noche, pero le encantaba.

–¿Adónde vas? –le preguntó Hutch cuando le vio levantarse.

–Va a tocar un grupo de música ahí abajo esta noche.

–Sí, pero no van a tocar hasta las diez –dijo Hutch, lanzando una significativa mirada a su reloj de pulsera.

Nate sonrió.

–Es que hay una chica… –comentó T.J.

–Siempre hay una chica en la vida de nuestro Nate.

–Sí, eso es verdad. Me parece que te va a gustar.

–¿Es para mí?

–No –interpuso Nate–. Es para mí.

–De acuerdo. ¿Quién es? –preguntó Hutch.

T.J. bebió un sorbo de su cubalibre y se inclinó hacia delante mientras recorría la pista de baile con la vista. Jen estaba en el medio, bailando flamenco.

–Ahí está. La morena con vestido rojo.

–Está muy bien –dijo Hutch–. ¿Trabaja aquí, en el club?

–Sí –respondió Nate–. Es la profesora de baile.

–¿Cómo se llama? –preguntó Hutch.

–Jen –respondió Nate.

–A mí me gusta –dijo T.J.–. Es simpática y sabe mover el cuerpo. Y Nate se puso furioso cuando me tocó para bailar conmigo.

–No me puse celoso –repuso Nate.

Nunca había sentido celos de nadie. Vivía la vida y la aprovechaba al máximo.

–Lo sé, lo sé, ha sido una broma. Vamos, ve a buscar a tu chica antes de que desaparezca –dijo T.J.

Nate volvió a mirar a la pista de baile y, en ese instante, vio a Jen y a su ayudante, Alison, despidiéndose y listas para marcharse.

Nate se puso en pie y comenzó a moverse entre la multitud. Se detuvo para firmar autógrafos y a posar para que le tomaran fotos. Y no dejó de sonreír, a pesar de estar impaciente por alcanzar a Jen.

Cam le envió un mensaje al móvil mencionando un problema con la lista de invitados y pidiéndole que se acercara al mostrador de recepción para solucionarlo. Y, aunque tenía miedo de no alcanzar a Jen, no le quedaba más remedio que encargarse del asunto inmediatamente.

¿Miedo?

Sacudió la cabeza y bajó la escalinata mirando a su alrededor, a la gente en la pista de baile, mientras trataba de felicitarse por el éxito del negocio. Luna Azul era su vida.

Así se había llamado el barco de su padre. En él, su padre, sus hermanos y él habían pasado muchos días durante los veranos, escapando a las exigencias de su madre. En el mar, lejos de la costa, lejos de todo aquel que quería algo de Jackson Stern, el famoso fenómeno del golf.

Al llegar al vestíbulo de la entrada, vio a Jen cerca del mostrador de recepción.

–Perdona, pero le había dicho a mi hermana y a su amiga que vinieran esta noche, que conseguiría que les dejaran entrar.

–Por supuesto –dijo Nate, consciente de que su destino era pasar aquella noche con Jen.

***

Jen había tratado de mantenerse alejada de Nate, pero había tenido que recurrir a él para que dejaran entrar en el club a su hermana y a la amiga.

–Perdona la molestia –repitió Jen.

–No es nada –respondió Nate. Entonces, se volvió hacia Marcia y le sonrió–. Soy Nate Stern.

–Marcia Miller. Y esta es mi amiga Courtney.

–Encantado, señoritas. Inmediatamente me encargo del asunto –declaró Nate.

Mientras Nate se acercaba a la recepción, Jen deseó que se la tragara la tierra. Era una situación incómoda. Sentía mucho haber tenido que recurrir a él.

–¿Te estamos causando problemas? –le preguntó Marcia.

–No, en absoluto. Nate se ocupará del asunto.

Según la política del club, todos los empleados tenían derecho a dos entradas gratis al mes para familiares y amigos, y ella no había utilizado sus entradas.

Marcia le acarició el brazo.

–Nate Stern es tu jefe, ¿verdad?

–Más o menos. Y Marcia, sabes perfectamente quién es Nate, no te hagas la tonta.

–Sí, claro que lo sé. ¿No es un playboy?

Jen se encogió de hombros.

–Esa es la impresión que da, pero trabaja en el club, no vive de la nada.

–Vaya, me alegro –dijo Marcia.

–¿Cómo es que le conoces? –preguntó Courtney.

–Ha estado en mi clase de baile esta noche. Uno de sus amigos se había apuntado.

–¿Ha asistido más veces a tus clases? –preguntó Marcia.

–No. Y gente más famosa que T.J. Martínez ha ido a mis clases.

–¿T.J. ha ido…?

–Sí. Deja de babear, Courtney.

–No estoy babeando, pero T.J. es sensacional. Tienes un trabajo estupendo.

–Eso lo dices porque tú te pasas la vida delante de una pantalla de ordenador.

–Cierto –contestó Courtney–. Bueno, ya viene.

Jen volvió la cabeza y vio a Nate avanzando hacia ellas. Tenía dos entradas en la mano, que dio a Courtney y a Marcia.

–Diviértanse, señoritas.

–Lo haremos. Gracias, señor Stern –dijo Marcia.

–Por favor, tutéame y llámame Nate. Y dale las gracias a tu hermana. En realidad, ha sido un error administrativo –dijo Nate.

–Gracias, Jen –dijo Marcia–. ¿Vienes con nosotras?

Jen asintió.

–¿Podría hablar antes contigo un momento? –preguntó Nate.

–Ahora mismo voy con vosotras –les dijo a Marcia y a Courtney.

Cuando su hermana y la amiga se marcharon, se volvió a Nate.

–¿Qué pasa?

–¿Has hecho planes para esta noche?

Jen arqueó las cejas.

–Voy a acompañar a mi hermana y a su amiga. ¿Por qué lo preguntas?

–Quería que vinieras conmigo.

–¿Por qué? –preguntó ella.

–Me parece que podríamos divertirnos juntos.

Jen ladeó la cabeza y se lo quedó mirando. Quería contestar afirmativamente y recordó lo que Alison le había dicho aquella misma tarde respecto a pasárselo bien. Desde luego, nadie mejor que Nate para hacerle pasar un buen rato.

–De acuerdo.

–¿Tenías que pensártelo tanto?

–Sí –respondió Jen–. No… se me da bien tomar decisiones rápidas.

–Lo tendré en cuenta. ¿Quieres ir a decírselo a tu hermana?

–Sí. ¿Por qué no vienes conmigo y pasamos con ellas un rato?

–Eso no entraba en mis planes.

–¿Cuáles eran tus planes? –preguntó Jen.

No tenía ni idea de por qué había accedido a salir con Nate. Debería dedicar su tiempo libre a los analistas financieros amigos de Courtney o a los abogados amigos de su hermana, no a Nate.

–¿Hacer que la pista de baile del club eche humo?

Jen le miró fijamente.

–No soy tu tipo y lo sabes, ¿verdad?

–No, no lo sé. Creo que tú y yo nos vamos a llevar muy bien.

–Eso es lo que me da miedo –comentó ella en un susurro. Sin embargo, quería agarrar con ambas ma-

31

nos lo que la noche podía ofrecerle… con Nate–. Vamos, Nate. A ver si eres capaz de aguantarme el ritmo.

Nate le agarró la mano y la condujo al interior del club, al lugar donde Marcia y Courtney estaban esperando.

Marcia y Courtney se marcharon del club a medianoche, pero Nate no estaba dispuesto a permitir que Jen se fuera.

–Quédate –dijo él en el vestíbulo, bajo la maravillosa escultura de cristal de Chihuly.

–No creo que sea una buena idea –dijo ella–. Mañana tengo que trabajar.

–Sí, pero por la tarde. Quédate conmigo, Jen.

–Yo… está bien, ¿por qué no? ¿Qué propones que hagamos?

–Después de la actuación del grupo de música, hay una fiesta en la terraza del club.

–Está bien. Pero tengo que marcharme a las dos como muy tarde –dijo ella.

–No te guardaré rencor si cambias de parecer.

–¿Tanta confianza tienes en ti mismo? –preguntó ella.

–Digamos que sé que lo estás pasando bien; además, tu hermana me ha dicho que sales muy poco.

–¿Te ha dicho eso?

–Sí.

–¿Y qué más te ha dicho?

–Que eres su hermana pequeña y que tendré

que vérmelas con ella si te juego alguna mala pasada.

Jen se sonrojó.

–Me protege demasiado. Nuestra madre trabajaba mucho y Marcia me cuidaba.

–Lo mismo pasaba con Cam y conmigo –dijo Nate.

–No me extraña. Cam parece el hermano mayor de todo el mundo aquí.

–¿Le tratas mucho? –preguntó Nate. Le parecía extraño haber conocido a Jen ese día, mientras que su hermano parecía conocerla de más tiempo.

–No. Pero me pidió que formara parte del comité para organizar la fiesta del décimo aniversario del club.

–Ah, sí, se supone que yo también voy a participar en el comité, así que nos veremos con más frecuencia.

Jen bajó la mirada y él se extrañó de la expresión que vio en ella. Pero, en ese momento, T.J. se les acercó y le echó un brazo sobre el hombro.

–Amigo mío, ¿qué tal?

–Bien –respondió Nate, dándose cuenta de que T.J. estaba borracho. No quería interrumpir la conversación con Jen, pero T.J. le necesitaba.

–Vamos a sentarnos a una mesa a charlar.

–No, no quiero sentarme. ¿Sabías que estoy soltero otra vez?

Nate sacudió la cabeza.

–Sí, algo he oído.

–Todo el mundo lo sabe –dijo T.J.

–Ahí al fondo hay una mesa libre. ¿Por qué no la ocupáis mientras yo voy a por unas bebidas? –propuso Jen.

–No te preocupes por eso, Jen. Tan pronto como nos sentemos, Steve nos servirá lo que suelo tomar –dijo Nate.

–No creo que sepa lo que yo quiero tomar, así que, antes de sentarme con vosotros, iré a decírselo –dijo Jen.

–Gracias –dijo Nate, encargándose de T.J. mientras se dirigían a la mesa que Jen había visto libre; entretanto, T.J. hablaba de su soltería.

–Lo odio. Yo no soy como tú. No me gusta salir todas las noches; prefiero estar en casa, con la misma mujer. Una bonita casa en las afueras, ya sabes.

Nate le dio una palmada en el hombro.

–Sí, lo sé. Pero no te preocupes, pronto conocerás a la mujer de tu vida.

–¿La mujer de mi vida? Lo dudo. No conocemos a buenas chicas.

Nate iba a asentir cuando, de repente, alzó el rostro y vio a Jen acercándose a la mesa. Pensó que conocían buenas chicas, pero que no sabían cómo tratarlas. Y, por primera vez, se sintió confuso. Quería comportarse como un caballero con Jen, pero no sabía cómo conseguirlo.

–Creo que los tipos como tú y como yo no sabemos qué hacer con una buena chica.

–Es posible –contestó T.J. mirando a Jen–. ¿Le has pedido al camarero que me traiga un cubalibre?

–No, lo siento. Para ti, le he pedido un refresco.

–Necesito ron, Jen. Creo que bailaría mejor con un poco de ron en el cuerpo.

–Lo dudo. Y, además, te estaba enseñando a bailar salsa, no samba.

–Pues, sintiéndolo mucho, me voy al bar a ver si me dan un cubalibre –dijo T.J.–. Aunque te agradezco el gesto, Jen.

–De nada –contestó ella.

T.J. se levantó de la mesa y se marchó.

–Gracias por dejarnos unos minutos a solas –dijo Nate a Jen.

–No hay de qué.

–Vamos, siéntate –dijo él.

–Estaba pensando en volver a casa –comentó Jen.

–¿Por qué?

Jen se sentó al lado de él, pero con la espalda muy rígida.

–Este no es mi ambiente.

–¿Por qué no? ¿En qué se diferencia de estar abajo, como cuando estábamos con tu hermana? –preguntó Nate.

–Quizá para ti sea lo mismo, pero la gente es distinta. Aquí hay famosos por todas partes, y gente sacándoles fotos. En mi opinión, aquí solo hay dos tipos de personas.

–¿Qué dos tipos?

–Los que se encuentran en su ambiente y a los que les gustaría que este fuera su ambiente. Y yo no quiero que a mí me pase eso –declaró Jen.

Jen, entonces, le agarró una mano y Nate notó lo delicados que eran sus dedos.

–Me gustas, Nate, pero este es tu mundo, y pasar aquí un rato me ha demostrado que yo no pertenezco a este mundo.

–Podrías, si yo te invitara.

–Quizá, pero… ¿por cuánto tiempo?

Capítulo Cuatro

Nate se encogió de hombros.

–La vida puede dar muchas vueltas.

–Sí, lo sé –respondió ella.

–Siéntate, Jen. Cuéntame qué te hizo venir a trabajar aquí.

Jen tragó saliva y sacudió la cabeza.

–Preferiría no hablar de eso. Prefiero bailar la samba que están tocando.

Nate se puso en pie y la condujo a la pista de baile. Tan pronto como llegaron ahí, él se volvió y ella comenzó a bailar. Los pasos de samba eran muy rápidos, pero él no tuvo problemas en seguirla.

Jen era una gran bailarina, su ágil cuerpo se movía al ritmo de la música al tiempo que le sostenía la mirada.

Nate la atrajo hacia sí mientras se movían y sintió el cuerpo de Jen rozando el suyo.

Jen le miró y Nate se dio cuenta de que algo había cambiado entre los dos.

Y en el momento en que la canción llegó a su fin, Nate abrazó a Jen y la besó.

***

El tiempo transcurrió sin sentir. Pasó la noche bailando con Nate. Y por primera vez desde que tuvo que dejar el mundo del baile de competición, se sintió viva.

Le preocupaba que fuera un hombre el motivo de ello. Además, sabía que lo que estaba ocurriendo aquella noche acabaría ahí. Imposible pasar con Nate más de una noche. Nate se codeaba con gente que salía en las revistas del corazón. Y aunque se estaban mostrando muy amables con ella, sabía que al día siguiente ni siquiera la reconocerían.

–Me apetece beber algo –dijo Nate, sacándola de la pista de baile–. Puede que tú estés acostumbrada a bailar tanto, pero yo no.

–No me ha parecido que te estuvieras esforzando –comentó Jen.

–No podía permitir que una chica me dejara fuera de juego.

–¿Una chica? A las mujeres no nos gusta que nos llamen chicas –le dijo ella.

–Perdona, no era mi intención ofenderte.

Nate, con un brazo, tiró de ella hacia sí. Los dos estaban sudorosos y le gustó cómo olía él. Se pegó al cuerpo de Nate durante unos segundos, hasta que se dio cuenta de lo que estaba haciendo.

–Quédate como estás, me gusta sentirte cerca –dijo él, estrechándola contra sí.

–A mí también me gusta –respondió Jen con voz suave. Entonces, alzó la mirada y la clavó en los negros ojos de Nate.

–Estupendo. Y ahora, ¿qué tal un mojito?

–Prefiero agua –respondió ella.

Había bailado y bebido demasiado. Y Nate también se le había subido a la cabeza.

–Primero, agua, después, mojitos. No me gusta beber solo.

–No creo que eso sea un problema para ti, siempre vas con alguien del brazo.

–No siempre –respondió Nate.

Y mientras Nate se alejaba de ella, Jen se dio cuenta de que ese hombre era algo más que un playboy.

Cuando Nate regresó, la llevó a un lugar apartado, detrás del escenario, donde se encontraron los dos solos.

Nate le dio el agua y ella bebió, contenta de hidratarse después de tanto baile.

–Me encanta la vista desde aquí –dijo Nate, tirando de ella hacia la barandilla que recorría el perímetro de la terraza.

Jen paseó la vista por la Pequeña Habana y más allá, a la silueta de los edificios de Miami. Localizó las brillantes luces del hotel Four Seasons, el edificio más grande de Florida. Sí, era una vista impresionante.

–Sí, te comprendo –contestó ella–. Háblame del club y de cómo acabaste trabajando aquí.

Nate arqueó una ceja, mirándola.

–Creía que todo el mundo lo sabía.

Jen sacudió la cabeza.

–No. Bueno, sé lo que dijeron los periódicos y oí rumores, pero quiero saber lo que pasó de verdad.

¿Por qué Nate Stern dejó el béisbol para codirigir un club en el sur de Florida con sus hermanos, en vez de dedicarse al cine?

Jen se bebió el resto del agua y dejó el vaso en una mesa de hierro forjado. Nate la agarró del brazo y la condujo a un banco junto a unos árboles.

—Te contaré mis secretos a cambio de que tú me cuentes los tuyos, ¿te parece? —sugirió Nate.

Ella asintió.

—Pero yo no soy tan interesante como tú. Sin embargo, te hablaré de mí si me traes un mojito.

—De acuerdo.

Tras una rápida expedición al bar, Nate volvió y le dio un mojito. Después, se sentó en el banco, con ella, y le puso un brazo por la espalda, atrayéndola hacia sí.

A Nate no le gustaba hablar del pasado. Solo lo hacía con amigos como T.J., porque lo que realmente les unía era el béisbol.

—Creo que me has preguntado por qué estoy aquí, ¿no? —dijo él.

—Sí, eso es. No creía que fueras a encontrarte a gusto en Miami. ¿Por qué no te quedaste en Nueva York… o te fuiste a Los Ángeles?

Nate se encogió de hombros. Lo cierto es que había sufrido una seria lesión y había necesitado el apoyo de sus hermanos.

—Me pareció lo mejor en su momento —contestó él—. Mis hermanos estaban aquí y yo había invertido dinero en el club; por lo que, oficialmente, tenía un trabajo. Mi carrera como jugador de béisbol había llegado a su fin, así que volví a casa.

–Lo dices como si no fuera nada –comentó ella, pensativa–. ¿Tan fácil te resultó abandonar tu sueño?

–¿Mi sueño?

–El béisbol –aclaró ella.

Nate había tenido un bache, pero lo había superado.

–Lo más triste de todo, Jen, es que me di cuenta de que no quería ser solo un jugador de béisbol.

–¿Qué era lo que querías ser? –preguntó Jen, acercándose más a él.

–Famoso –respondió Nate–. Lo sé, es muy superficial, ¿verdad?

–Yo también quería ser famosa –admitió Jen.

–¿En serio?

–¿Crees que bromearía con una cosa así?

–No, claro que no, perdona. La verdad es que no sé nada sobre ti. Cuéntame.

Jen respiró profundamente y bebió un sorbo de mojito. La bebida era suave y refrescante.

–Vamos, cielo –insistió Nate–. Tu secreto está a salvo conmigo.

–¿Cielo? No me conoces lo suficiente para tomarte tantas confianzas conmigo.

–Jen, te conoceré mucho mejor antes de que acabe la noche.

–¿No te estás adelantando a los acontecimientos? –le preguntó ella.

–No. Te gusto tanto como tú me gustas a mí.

Jen asintió.

–Sí, es verdad. Por mucho que me cueste reconocerlo, quiero saber cómo es el tipo que se esconde detrás de la cámara.

–Estupendo. Espero gustarte –dijo él.

–Hasta el momento, me tienes impresionada.

Nate bebió. La brisa de febrero le revolvió unas hebras de cabello a Jen. Él alargó el brazo y se las recogió detrás de una oreja.

–Gracias –dijo ella con voz ronca y suave.

–Has dicho que querías ser famosa… ¿haciendo qué? –preguntó Nate.

Nate no podía dejar de tocarla. Jen tenía la piel muy suave. Las mujeres con las que salía normalmente se preocupaban sobre todo por su aspecto físico, su imagen, por lo que raras veces le dejaban tocarlas, excepto en la cama, cuando hacían el amor. Pero Jen le dejaba tocarle la cara.

Le acarició el labio inferior y ella se lo permitió. Tenía los labios entreabiertos y su aliento le acarició los dedos.

–No puedo pensar con lo que me estás haciendo –dijo ella.

–Pues no pienses –replicó Nate.

La rodeó con los brazos y la estrechó contra sí. Sintió en el pecho el vaso con el mojito que Jen sostenía en las manos, frío y mojado.

Jen se lamió los labios y comenzó a cerrar los ojos en el momento en que él bajó la cabeza. Quería que aquella noche durara una eternidad, sabía que no podía permanecer un segundo más en aquella terraza sin besarla.

A Jen le sorprendía reaccionar así con Nate, que no era bailarín. Sacudió la cabeza, recordándose a sí misma que su vida ya no era el baile. No obstante, seguía resultándole difícil aceptarlo.

—Me parece que ya no estás pensando en besarme.

Jen se apartó de él y se mordió el labio inferior. El olor del hibisco, en unos maceteros próximos a donde se encontraban, impregnaba el aire.

Jen se inclinó sobre él y las pupilas de Nate se dilataron.

—Así está mejor.

Sí, era verdad. Le acarició los labios con los suyos. Los labios de Nate eran sensuales y firmes; y cuando los abrió, su aliento le acarició. Nate olía a mojito y ella cerró los ojos para disfrutar el momento.

Nate la estrechó contra su cuerpo. Ella sintió el calor de él y quiso grabar el momento en su recuerdo.

Entonces, los labios de Nate volvieron a acariciar los suyos antes de penetrarle la boca con la lengua, y todo pensamiento se evaporó.

Los brazos de Nate eran grandes y fuertes, y sintió su musculatura, su fuerza. Aunque ya no era un deportista profesional, Nate Stern seguía siendo un hombre muy fuerte.

Ella le puso las manos en los hombros y echó la cabeza hacia atrás para mirarle el rostro. Nate no sonreía, su expresión era intensa.

–¿Demasiado?

–Quizá –respondió ella–. Esta tarde vine a trabajar pensando que era un día cualquiera y ha resultado no serlo, Nate.

–Bien. La vida debería estar llena de sorpresas.

Jen sacudió la cabeza.

–No, no lo creo. Si así fuera, ¿cómo conseguiría uno cierta estabilidad?

Nate se puso en pie y la hizo levantarse.

–La gente la proporcionaría.

–¿La familia? –preguntó ella, dejándose llevar a la barandilla de la terraza.

–O la ciudad –dijo Nate–. Miami nunca cambia. En el fondo, la ciudad nunca cambia. Cierto que hay cambios políticos; pero, fundamentalmente, la playa y el clima subtropical hacen que la vida aquí sea bastante tranquila.

Jen, consciente del brazo de Nate rodeándole la cintura, contempló la Calle Ocho y la vista de la Pequeña Habana.

–¿Te criaste aquí, en la Pequeña Habana?

–No, en Fisher Island.

–Ah.

Pero Jen ya lo sabía, lo había leído en las revistas. Sin embargo, por la forma como Nate había hablado de Miami, le había dado la impresión de que conocía muy bien la ciudad. La ciudad en la que ella se había criado. Pero al ser clase media baja, ella había vivido en un lugar muy diferente a la elegante zona residencial de Fisher Island.

—¿Y tú?

—Aquí, en la ciudad.

—Entonces, supongo que sabes lo que he querido decir.

Jen cerró los ojos y pensó en la ciudad, y en los ritmos de la Calle Ocho. Pensó en las lucha diaria de la gente de clase media baja y en que sabía divertirse y celebrar cumpleaños en la playa.

—Sí, lo sé.

Entonces, Nate la hizo volverse y, en esta ocasión, obtuvo de ella mucho más que una respuesta a un beso.

Capítulo Cinco

El sol comenzaba a asomar por el horizonte cuando llegaron al ático de Nate en el centro de la ciudad. No recordaba haber disfrutado tanto de una velada y sabía que lo debía a estar con Jen.

Jen estaba en el vestíbulo, parecía tener sueño, pero se la veía contenta. En su opinión, la noche estaba siendo todo un éxito.

La rodeó con los brazos. La deseaba. Y cada segundo que pasaba la deseaba más.

—Me gusta esto —dijo Jen caminando.

Jen se detuvo delante del ventanal del cuarto de estar, cuya altura iba del suelo al techo.

—Esta vista…

—Es increíble, ¿verdad? —le interrumpió él, colocándose a espaldas de Jen al tiempo que le rodeaba la cintura con los brazos y se pegaba su espalda al pecho.

—Lo he pasado muy bien esta noche —confesó Jen—. No imaginaba que fuera a disfrutar tanto.

—¿Por qué no?

—No había tenido un buen día —repuso ella.

—¿No? —Nate la condujo a la moderna cocina. Allí, la acercó a uno de los taburetes delante del mostrador.

–La noche sí ha estado bien. Pero el comienzo del día… En fin, estoy demasiado cansada para explicarme bien. Digamos que tú has hecho que mejorase un día que había empezado bastante mal.

–Me alegro. Dime, ¿por qué había empezado mal?

–He recibido una noticia que pensaba que iba a ser otra cosa.

–¿Qué noticia? –preguntó Nate mientras sacaba de la nevera los ingredientes para hacer tortillas.

–Hace unas horas me preguntaste sobre los secretos de mi vida, ¿lo recuerdas? –preguntó ella.

–Sí, lo recuerdo. ¿Tiene esa noticia algo que ver con tus secretos? –preguntó Nate.

No se le había ocurrido pensar que Jen pudiera guardar serios secretos. Era bailarina y coreógrafa. ¿Qué secretos podía tener?

–Sí, así es. No sé qué es lo que sabes de mí –dijo ella, mirando en su dirección.

–No mucho. ¿Eres bailarina profesional?

–Exacto. Mi vida siempre se ha centrado en el baile. Pero hace unos años, cometí un grave error y, desde entonces, no he podido participar en el mundo del baile de competición –declaró ella.

–¿Qué error?

–Uno que tenía que ver con un hombre –confesó Jen, mirándole con ojos cansados.

–Tiene gracia, Jen, pero yo también cambié de profesión por una mujer.

–¿En serio?

–Sí. Cuando sufrí la lesión, estaba prometido y,

mientras me recuperaba, ella decidió irse con otro jugador.

–Lo siento.

–Yo no lo siento. Evidentemente, no habríamos sido felices juntos. Me enseñó una gran lección, una lección que no he olvidado –dijo él.

–¿Qué lección? –preguntó Jen.

–Que no estoy hecho para el matrimonio.

–¿Por qué me dices esto? –preguntó Jen.

–Te lo digo para que no creas que eres la única que ha cometido equivocaciones a causa del amor. ¿Qué te pasó a ti?

–Me prohibieron participar en las competiciones de baile latinoamericano. Presenté un recurso y, después de un largo periodo de revisión, me lo han denegado. Se mantiene el veredicto original –Jen bajó los hombros–. Jamás volveré a competir.

–No pasa nada. Harás otras cosas –dijo él–. En el club, todas y cada una de las noches compartes tu amor por la música latinoamericana con gente nueva. Eso es importante, ¿no?

Jen sacudió la cabeza.

–No es lo mismo.

–No, no lo es. Pero así es la vida.

–Sí, así es la vida. Pero me cuesta acostumbrarme a vivir fuera del mundo del baile de competición.

–¿Hace cuánto que tuviste que dejarlo? –preguntó Nate.

Creía que Jen llevaba trabajando en el Luna Azul un año por lo menos.

–Tres años. Presenté el recurso tan pronto como

se pronunció la sentencia. No quiero parecer arrogante, pero casi siempre me salgo con la mía. Esperaba que ocurriera lo mismo con esto.

–Mi padre solía decir que, cuando ocurre algo, siempre ocurre por algún motivo –dijo Nate, oyendo en silencio la voz de su padre–. Puede que no lo comprendamos, pero eso da igual.

Jen ladeó la cabeza y se lo quedó mirando.

–¿En serio lo crees?

–Sí, completamente en serio. Voy a contarte una cosa que no le cuento a casi nadie –dijo Nate inclinándose, sus rostros apenas tocándose.

–¿Qué?

–Nunca me habría sentido tan satisfecho jugando al béisbol que como me siento con la vida que llevo ahora.

–¿De verdad? –Jen parecía escéptica.

–Lo digo completamente en serio. Veo a mis hermanos a diario, me pagan por divertir a mis amigos y me ocupo de que la gente lo pase bien. ¿Existe un trabajo mejor?

Jen asintió.

–Comprendo lo que dices. A mí me encanta bailar y puedo hacerlo todas las noches.

La mirada de Jen se perdió y él se dio cuenta de que ella no le había contado todo.

–Supongo que había llegado tan lejos como me era posible en esa dirección –añadió Jen–. Un buen momento para cambiar.

–Y ahora, además, vas a pasar una mañana conmigo –dijo él.

—¡Nate, no te vendas tan barato! —exclamó ella con una carcajada.

—Eso nunca —dijo él, y la besó.

El consejo que Nate le había dado tenía sentido y le gustaba la forma como lo había hecho, sin dárselas de saberlo todo. Nate llevaba sorprendiéndola toda la noche.

—La verdad es que no tengo hambre —dijo ella.

No había ido a casa de Nate para comer y ambos lo sabían.

—Yo tampoco.

Nate rodeó el mostrador y la hizo ponerse en pie.

—¿Quieres ver el resto de la casa?

—Sí.

La llevó por el pasillo, en dirección a su dormitorio. En las paredes colgaban exquisitas pinturas de vivos colores que la hicieron pensar en México. La casa de Nate era muy moderna. Pero no era fría, sino cálida y acogedora, y le sorprendió sentirse tan cómoda allí.

Señaló una foto suya con la gorra de los Yankees.

—¿Cuándo te sacaron esta foto?

—La primera temporada que jugué. Mi padre quería… estaba orgulloso de que me hubiera hecho profesional. Siempre que podía, que él no jugaba, venía a verme. Esta foto estaba colgada en su habitación en nuestra casa de Fisher Island.

—¿Cuándo murió tu padre?

—Dos semanas después de que yo me lesionara. Me alegro de que no se enterase de que yo no iba a volver a jugar al béisbol.

—Creo que se sentiría orgulloso de ti —dijo ella.

Sabía que, al margen de lo que hubiera hecho, sus padres se habrían sentido orgullosos de ella. Marcia siempre decía que lo único que los padres querían era que sus hijos fueran felices; por supuesto, se refería a sí misma y a su hijo de siete años, Riley.

—No sé por qué te estoy contando todo esto. ¿Por qué? —preguntó Nate.

—La gente suele contarme cosas —respondió Jen—. Supongo que me ven como una chica tranquila, que no supone ninguna amenaza para nadie. Ya sabes, alguien a quien se le puede contar un secreto.

—Te has llamado «chica» a ti misma.

En broma, Jen le dio un puñetazo en el hombro.

—Una cosa es que lo haga yo y otra muy distinta es que lo haga un hombre.

Nate sonrió.

—Cuando creo que empiezo a conocerte, vas y me sorprendes con algo que no esperaba de ti.

—Espero no ser demasiado fácil de comprender —dijo ella.

—No, no lo eres. Eres muy complicada —Nate la rodeó con los brazos—. Y muy hermosa.

Se inclinó sobre ella y, al oído, le susurró lo sensual que era, lo atractiva que la encontraba y lo mucho que la deseaba. El aliento de Nate era cálido y le gustaba lo que le estaba diciendo.

Nate la hacía sentirse como si no estuviera incompleta. Y era eso, pensó. Desde que rechazaron su recurso, se había sentido destrozada; pero ahora, en los brazos de Nate, eso había dejado de importarle.

Le echó los brazos al cuello y se puso de puntillas para besarle. Nate le devoró la boca con la suya y ella se sintió perdida. Las manos de él le acariciaron la espalda y se detuvieron en las caderas. Tiró de ella hacia sí.

Los fuertes brazos de él, rodeándola, la hicieron sentirse delicada y femenina. Ningún hombre la había hecho sentir lo que sentía con Nate.

Sabía que Nate tenía el control de la situación y se lo permitió. Por fin, Nate la levantó del suelo.

–Rodéame con las piernas y los brazos –dijo él.

Jen se aferró a él y, por fin, entraron en el dormitorio. Nate se sentó en el borde de la cama de matrimonio. Mientras ella le miraba, él le acarició la espalda.

Nate bajó la cabeza y la besó. Había pasión en el beso, pero también ternura, y fue la ternura lo que le llegó al corazón. Le agarró el rostro con ambas manos y le penetró la boca con la lengua. Nate respondió al instante, enterrando los dedos de una mano en sus cabellos.

La estrechó con fuerza mientras la pasión se apoderaba de ella.

Nate se echó en la cama, tirando de ella, que acabó encima. Le acarició los pechos. Ella le desabrochó la camisa y Nate, despacio, le subió la blusa. Se quedó quieta, echó la cabeza hacia atrás y disfrutó el momento.

Las manos de Nate eran cálidas, le dejó colgando la blusa. Sus grandes manos le ciñeron la cintura y tiraron de ella hacia abajo, hacia él.

Sintió el aliento de Nate en el pezón; después, la boca entera. Le agarró la cabeza mientras Nate la chupaba a través del tejido del sujetador. Todos los músculos de su cuerpo se tensaron.

Jen trató de desabrocharse el sujetador, pero Nate le sujetó las muñecas.

–No, todavía no. Quiero hacerlo así.

–¿En serio?

Nate asintió.

Jen bajó la mano, entre los cuerpos de ambos, y encontró el bulto de la erección de Nate. Le acarició por encima de los pantalones.

–¿Te gusta esto? –preguntó ella mientras Nate arqueaba la espalda y subía las caderas.

–Sí, mucho. ¿Quieres desnudarte? –preguntó él con una sonrisa traviesa.

–Más de lo que puedes imaginar, pero creía que querías esperar.

–*Touché* –dijo Nate al tiempo que le pasaba la mano por la espalda y le desabrochaba el sujetador. Después de quitárselo, la hizo apartarse de él–. No puedo verte con esta luz.

Nate se levantó y encendió la lámpara de la mesilla de noche.

–Quítate la blusa –le ordenó él.

Jen se quitó la blusa y el sujetador mientras Nate

se despojaba de la camisa. Los músculos de su torso eran pronunciados. También tenía una mata de vello claro cubriéndole el pecho, el bello se estrechaba en línea descendente hasta desaparecer por la cinturilla de los pantalones.

Jen se puso en pie, colocándose al lado de Nate. Le acarició el pecho, los pezones, más abajo…

Nate se quedó quieto, dejándose acariciar. Y a ella le gustó la sensación del vello de él en la palma de su mano. Le gustó el calor de ese cuerpo viril y su fuerza.

Inclinándose sobre él, le besó la nuca. Nate le acarició la espalda. Después, le sintió bajarle la cremallera lateral de la falda y, al momento, ésta cayó a sus pies. Nate le tomó las manos y, apartándose de ella, se la quedó mirando.

—Algún día te pediré que bailes para mí… a solas —dijo Nate.

—Puede que lo haga —contestó ella—. Pero a condición de que tú hagas otra cosa por mí.

Nate asintió y se llevó las manos al cinturón. Despacio, se desabrochó el cinturón y se bajó los pantalones.

—Ven aquí.

—No, ven tú aquí —dijo ella.

Nate arqueó una ceja, mirándola, y se le acercó. Ella le empujó hasta tumbarle en la cama; después, se colocó encima de él, con las piernas a sus costados y las manos en sus hombros. Se frotó el sexo con el de Nate y le sintió moverse.

—¿Te gusta esto? —preguntó Jen.

–Sí.

Nate le agarró las caderas y la hizo frotarse contra su pene. Ella echó la cabeza hacia atrás, disfrutando aquella sensación que se le extendió por el cuerpo. La piel se le erizó y los pezones se le irguieron.

Nate se incorporó en la cama y le chupó los pezones.

–Te deseo –dijo él.

–Lo sé –susurró Jen inclinándose sobre él, frotándose contra él.

–¿Por qué no nos hemos desnudado del todo? –preguntó Nate.

–Yo… no lo sé. Creía que querías desnudarme.

Tiró de ella hasta que ambos quedaron tumbados de costado. Entonces, le puso una mano en las caderas, tiró del elástico de las bragas y se las bajó. Ella se alzó ligeramente para facilitarle la tarea y Nate tiró las bragas al suelo.

–Túmbate bocarriba –dijo él–. Quiero grabar en mi mente la forma como te ves en mi cama.

A Jen le gustó la idea.

–¿Cómo me veo en tu cama?

–Como una sirena, hermosa y tentadora. Incitándome a adentrarme en aguas peligrosas.

Jen levantó una rodilla y separó las piernas.

–Yo no soy peligrosa, Nate.

Él sacudió la cabeza.

–Eres la clase de peligro que me gusta, y sumamente adictiva.

Nate se quitó la ropa interior y, completamente

desnudo, se quedó de pie junto a la cama. Su erección era larga y ancha, y Jen se mordió los labios al pensar que iba a tenerle dentro.

Jen alargó una mano y le tocó la punta del miembro, y éste engordó aún más. Pasó un dedo por el borde y luego lo rodeó con la mano entera.

Nate avanzó una cadera hacia ella. Tenía una rodilla en la cama y las manos en sus muslos cuando, de repente, retrocedió.

—Maldición. ¿Estás tomando la píldora?

—Sí —respondió Jen—. Soy bailarina, no puedo permitirme el lujo de quedarme embarazada.

—Estupendo. En ese caso, no es necesario que me ponga un condón —dijo Nate.

—La verdad es que… quiero que te pongas un condón —interpuso Jen—. Vas con bastantes mujeres.

Le dolía decir eso, pero no iba a correr riesgos con su salud.

—Supongo que tienes razón. Espera un segundo.

Nate se alejó de la cama, pero volvió en menos de un minuto. Entonces, se colocó encima de ella, pero, al principio, apoyó el peso en los codos y las rodillas. La besó de la garganta al pecho; después, le mordisqueó el ombligo.

El sexo se le humedeció. Quería a Nate dentro de su cuerpo, no quería esperar un segundo más; pero también le gustaba lo que él le estaba haciendo y no quería pedirle que lo dejara.

Nate se deslizó hacia abajo, entre los muslos de ella, y comenzó a acariciarle el clítoris con la lengua.

Sus caricias íntimas la dejaron sin aire. Era la primera vez que un hombre le hacía eso. Le agarró la cabeza con las manos para sujetarle. Estaba tan próxima al orgasmo que no quería que Nate se moviera... todavía, no.

Nate le introdujo un dedo y ella gimió. Movió las piernas, le rodeó con ellas la cabeza. Y cuando Nate le metió otro dedo y continuó acariciándola dentro, el placer le resultó insoportable.

–Voy a correrme –dijo Jen.

Nate levantó la cabeza y la miró.

–Hazlo.

Nate volvió a bajar la cabeza y la mordisqueó íntimamente. Ella se puso tensa y el clímax la sacudió. Agarró la cabeza de Nate y la apretó contra sí mientras levantaba las caderas de la cama.

Continuó presa de los espasmos y Nate, mientras subía por la cama, mantuvo los dedos dentro de ella. Entonces, Nate colocó el miembro en el umbral de su cuerpo y esperó un minuto. Sentir la punta de su miembro renovó su deseo.

Jen arqueó las caderas en un intento por facilitarle la entrada, pero Nate sacudió la cabeza.

–Quiero ir despacio.

–Y yo te quiero dentro, Nate. Ya.

Nate se tomó su tiempo; por fin, una vez dentro, comenzó a moverse despacio. La sensación de estar en el cuerpo de ella era maravillosa.

Se movió con más rapidez mientras le agarraba las caderas con fuerza. Bajó la cabeza y le besó la garganta, le susurró palabras de pasión al oído y la llevó, una vez más, al borde del clímax.

Jen le agarró las nalgas, tirando de él hacia sí. Nate pronunció su nombre con un gemido en el momento en que ella tenía otro orgasmo.

Esta vez, el orgasmo fue mucho más intenso. El se movió dentro de ella con frenesí y gritó su nombre justo en el momento en que alcanzó el clímax.

Cuando pudo moverse, Nate se tumbó de costado con los brazos alrededor de Jen.

Una vez que el sudor de sus cuerpos se hubo secado, Jen le miró a la luz de la lámpara de la mesilla de noche. Había sido la experiencia más intensa de su vida. Sin embargo, Nate Stern no solo era, prácticamente, un desconocido, sino también su jefe.

¿Qué había hecho?

Capítulo Seis

La luz de la mañana se filtró por la persiana. Normalmente, no le gustaba que las mujeres se quedaran hasta bien entrada la mañana en su casa, pero con Jen era diferente, no tenía prisa de que se fuera. Jen estaba acurrucada junto a él, con la cabeza sobre su hombro y rodeándole la cintura con un brazo.

La respiración de ella le acariciaba el pecho y sintió una extraña satisfacción.

¿Qué iba a hacer con Jen?

Debería hacer que se levantara; sin embargo, quería abrazarla y quedarse así con ella hasta que despertara. Después, le gustaría volver a hacer el amor y pasar el día entero con ella.

Mientras la miraba, se preguntó qué la hacía diferente. En parte, se debía al hecho de que Jen no formaba parte de su círculo de amistades y no parecía necesitar sus contactos.

Era la primera mujer que conocía que no necesitaba nada de él.

–¿Por qué me estás mirando? –le preguntó ella volviéndose para tumbarse bocarriba.

–Eres increíblemente bonita –contestó Nate.

Cuanto más tiempo pasaba con ella, más bonita le parecía.

–Soy una auténtica Mona Lisa –dijo ella.

–Eres una mujer muy interesante, Jen –comentó Nate, inclinándose para darle un beso–. Podría pasarme el día entero mirándote.

–No sé si…

–No lo pienses –dijo él, sellándole los labios con un dedo–. Pasemos el día juntos.

–¿Haciendo qué? –preguntó Jen–. Entro a trabajar a las cinco.

–Y yo –dijo Nate.

Nate se volvió y agarró el teléfono móvil, que estaba encima de la mesilla de noche. Entonces, miró en Internet el informe meteorológico y vio que era un día perfecto para navegar.

–¿Quieres salir a dar una vuelta en yate?

Jen se echó a reír.

–¿Se lo dices a todas las mujeres con las que sales?

–Sí.

–Me encantaría, pero no tengo la ropa adecuada para navegar –comentó Jen.

–En el vestíbulo de este edificio hay una boutique. ¿Cuál es tu talla?

–La seis.

–Llamaré por teléfono para que te suban algo de ropa.

–No, no es necesario. Iré a casa, me daré una ducha y me cambiaré. Podemos reunirnos luego en el embarcadero.

Nate sacudió la cabeza.

–No. Quiero pasar el día entero contigo.

–¿Y siempre consigues lo que quieres? –preguntó Jen.

–Sí –mintió Nate.

–¿Por qué tengo que quedarme? –preguntó ella.

–Porque te he pedido que lo hagas. Quiero conocerte mejor –replicó Nate.

–En ese caso, no puedo oponerme.

–Me alegra oírtelo decir. La mujer que viene a limpiar está a punto de llegar. ¿Qué te apetece desayunar?

–Suelo tomar desayunos ligeros.

–¿Qué te parece un cruasán y fruta? –sugirió Nate.

–Bien.

–Estupendo. Y ahora, si quieres, ve a ducharte mientras yo me encargo de organizar el día. Puedes ponerte mi albornoz mientras esperamos a que te traigan la ropa.

–Gracias.

Nate la besó y ella fue al cuarto de baño.

Tan pronto como se quedó solo, Nate comenzó los preparativos para ese día. Se mantuvo ocupado con el fin de no pensar en hacer el amor con Jen otra vez. Se sentía más unido a ella, algo peligroso.

Se puso unos pantalones deportivos y una camiseta, y se dirigió a la zona de estar de la casa. El sol iluminaba la bahía Vizcaína y se reflejaba en la superficie de la piscina de la terraza.

–Buenos días, señor –dijo la señora Cushing al entrar en el cuarto de estar.

–Buenos días, señora Cushing. Tengo una invitada y nos gustaría desayunar algo ligero: fruta, cruasanes, café y zumo. ¿Dentro de media hora, en la terraza?

—Muy bien, señor.

—Ah, y estoy esperando que me envíen unos paquetes los de la boutique de abajo. ¿Le importaría asegurarse de que estén aquí antes del desayuno?

—Muy bien. ¿Algo más, señor?

—Una vez que hayamos desayunado, no voy a necesitarla, así que espero que disfrute de tener el resto del sábado libre.

—Gracias —dijo ella.

—De nada —repuso Nate.

Mientras Nate se duchaba, Jen se sentó en la terraza, al lado de la piscina con vistas a la bahía Vizcaína. La vista de aquel ático era espectacular, pero no tanto como Nate Stern.

El día anterior había recibido un duro golpe: la Federación Internacional de Baile de Salón había rechazado su recurso. No volvería a participar en el baile de competición. Sin embargo, haber ido a esa casa y haber pasado la noche con Nate… ¿Por qué lo había hecho?

No le pesaba. Trataba de no arrepentirse de nada porque Marcia decía que el arrepentimiento no servía para nada, a menos que uno aprendiera alguna lección.

Le sonó el móvil, indicándole que tenía un mensaje… de su hermana: «¿Estás bien?».

Jen respiró hondo y le contestó con otro mensaje:

Sí, estoy bien. Estoy en casa de Nate. Perdona por no haberte llamado antes.

No obtuvo respuesta por mensaje y, entonces, el teléfono sonó.

–Hola, Marcia.

–Jen, ¿qué demonios estás haciendo?

Jen se había hecho esa misma pregunta más de una vez y seguía sin conocer la respuesta.

–No lo sé. Lo único que sé es que mi vida está patas arriba y estoy intentando empezar de nuevo.

Marcia suspiró.

–Cariño, ten cuidado. Los cambios pueden ser más difíciles de lo que parecen a primera vista.

–¿Eso es lo que a ti te pasó?

–¿Cuando nació Riley?

–Sí –dijo Jen.

–Más o menos. Antes de que naciera, sabía que iba a criarle sola, y esa no es la situación ideal.

–Sí, lo sé. Pero Riley es un chico fantástico –le recordó Jen a su hermana.

–Cierto, pero mi trabajo me ha costado. Pero volviendo a ti… este cambio en tu vida, este empezar de nuevo… ¿Qué piensas hacer?

–Quiero tomar las riendas de mi vida –contestó Jen–. Ayer, cuando recibí la carta en la que se rechaza mi recurso y me di cuenta de que mi vida como bailarina de competición había llegado a su fin…

Bueno, he pensado que ha llegado el momento de averiguar quién soy realmente.

–¿Y estar con Nate te va a ayudar a averiguarlo? –le preguntó Marcia.

–No tengo ni idea. Pero, por primera vez en la vida, he actuado impulsivamente. Sabes perfectamente que desde que empecé con el baile no he hecho nada que no fuera dirigido a avanzar en mi carrera profesional. Marcia, no recuerdo ningún momento en mi vida en el que el baile no fuera lo más importante.

–Sí, tienes razón. Yo también me acuerdo de que tú y tu baile erais lo único que importaba en casa.

–Lo siento –dijo Jen–. Debió ser injusto para ti.

–Tienes talento, hermana. Hace mucho tiempo que te perdoné que fueras tan buena bailarina.

–Gracias –contestó Jen riendo.

–¿Por perdonarte?

–No, por ser mi hermana mayor y por quererme.

–De nada. ¿Dónde está Nate? –preguntó Marcia.

–En la ducha. Yo estoy en su terraza, que da a la bahía Vizcaína. La vista es increíble.

Jen se levantó del asiento, rodeó la piscina y se sentó en una de las tumbonas al lado del agua.

–Es como no estar en la ciudad –añadió Jen.

–Bueno, pásatelo bien, pero no olvides que actuar impulsivamente tiene sus consecuencias –dijo Marcia–. Y, al final, tendrás que volver a poner los pies en la tierra.

–Lo haré. Hoy entro a trabajar a las cinco, pero estaré en casa a eso de las diez.

–Hasta entonces. ¿Tienes el día libre mañana?

–Sí. ¿Por qué?

–Riley quiere ir al parque con su tía preferida.

–Dile que tenemos una cita –respondió Jen, y colgó.

–¿Con quién tienes una cita? –preguntó Nate, saliendo a la terraza.

Jen volvió la cabeza y le miró.

–Con Riley, mi sobrino. Los domingos solemos ir al parque. Salimos por la mañana y dejamos a mi hermana en la cama, es el único día de la semana que no tiene que madrugar.

–Háblame de tu familia –dijo Nate.

La señora Cushing les llevó el desayuno, lo dejó en una mesa y se marchó. Cuando se sentaron a la mesa, Nate sirvió el café.

–¿A qué se dedica tu hermana? –preguntó Nate.

–Es abogada.

–Así que es tan lista como tú, ¿eh? –comentó Nate–. ¿Qué rama de la abogacía es su especialidad?

–Asuntos familiares: divorcios, custodia de los hijos… esas cosas. Le encanta su trabajo. Pero siempre está muy ocupada, el trabajo es muy exigente y luego está Riley, así que no tiene tiempo libre.

–¿Dónde está el padre de Riley? –preguntó Nate.

–No sé; desde luego, no forma parte de sus vidas. No quería tener hijos ni familia. Pero Marcia sí, así que cada uno fue por su lado.

Nate dejó el tenedor en el plato.

–No comprendo a esa clase de hombres, aunque he conocido a bastantes. No comprendo cómo pueden ignorar a sus hijos. Los hijos son parte de uno mismo.

A Jen le sorprendió oírle decir eso. Le sorprendió que la familia pareciera ser tan importante para él.

—La familia es importante para ti, ¿verdad? —preguntó Jen.

—Claro que lo es. Cuando sufrí la lesión y me vi obligado a dejar el béisbol, muchos de mis supuestos amigos me dieron la espalda. Pero mis hermanos… En fin, mis hermanos me dijeron que volviera a casa y que no me preocupara, que haríamos algo juntos. Algo que iba a resultar ser una aventura mayor que jugar al béisbol.

—¿Te has arrepentido del cambio alguna vez? —preguntó ella.

—No, nunca. Ahora no estaría aquí, contigo, de no haber sido por la lesión.

A Jen se le derritió el corazón. Ahora comprendía la advertencia de Marcia respecto a las consecuencias de sus actos, a las consecuencias de haberse acostado con Nate. Sabía que acabaría olvidando que su relación solo era pasajera, que solo se estaban divirtiendo, y terminaría enamorándose.

En la cubierta del barco, la brisa del mar le revolvió el cabello. Llevaba unas gafas de sol color cereza que combinaban muy bien con el vestido que él le había comprado, un vestido azul marino con escote de pico. También le había regalado un jersey fino, ya que la brisa era fresca.

Kate estaba sentada en la popa y él la observaba desde la cabina de mandos. Normalmente, un equipo se encargaba de dirigir el barco, pero ese día quería estar a solas con Jen, sin nadie. Sabía que era el único día que podrían pasar juntos, solos, en un tiempo. Tenía una agenda muy apretada y, para el club, era importante que él saliera constantemente en las revistas.

Desgraciadamente, Jen no era famosa y, por lo tanto, la prensa del corazón no estaba interesada en ella. Pero ese día les pertenecía a los dos y lo iba a disfrutar al máximo.

—Esto es maravilloso. Es la primera vez que voy en un yate.

—¿Te gusta el mar? —preguntó él.

—Sí, mucho. Gracias, Nate.

Nate se acercó a ella y se sentó a su lado.

—De nada.

—¿Por qué me has traído aquí? —le preguntó Jen.

—Quería estar a solas contigo, lejos del club y de la cotidianidad de nuestras vidas.

Jen asintió y él se preguntó qué estaría pensando. No podía verle los ojos, ocultos tras los oscuros cristales de las gafas. Y cuando Jen callaba, le daba la impresión de que se había refugiado en algún lugar al que él no tenía acceso.

—He visto una foto tuya en este yate… aquí sentado. Creo que era en la revista *Yachting Magazine*.

Nate asintió.

—Sí, con la condesa De Moreny. Ella quería comprar uno de estos barcos y le dejé que probara el mío.

–Parecías tener una relación… muy íntima –comentó Jen.

–Así es. Me gusta Daphne. ¿Tiene eso algo de malo?

Jen se encogió de hombros.

–No, nada. Solo que no debo olvidar que estás acostumbrado a salir con muchas mujeres y que yo no soy nadie de quien te vas a enamorar. Por favor, no permitas que lo olvide.

Nate sabía que Jen no estaba acostumbrada al mundo en el que él se movía, y sabía que eso era, en parte, el motivo por el que le resultaba tan atractiva. Pero no quería tener que recordarle nada.

Quería ser importante para Jen.

Quería que Jen pensara en él todo el tiempo y que, cuando estuvieran separados, hiciera lo posible por volver con él. Y también sabía que eso no era justo.

–No estoy jugando contigo, Jen –dijo Nate por fin.

–Eso no se me ha pasado por la cabeza. Para mí, esto que estoy haciendo contigo es algo extraordinario; sin embargo, para ti es algo normal, algo que haces casi a diario. Tú te acuestas con una mujer diferente cada noche y, para ti, es una diversión. Yo no debo olvidar que, fundamentalmente, somos muy distintos –Jen se subió las gafas y se las sujetó en la cabeza.

Nate vio miedo en su mirada y se dio cuenta de que Jen le había hablado con toda honestidad. Quería evitar sufrir y él no quería hacerla sufrir.

–No haré nada que te pueda hacer daño –declaró Nate.

–Intencionadamente, sé que no –contestó Jen al tiempo que se ponía en pie–. Bueno, enséñame tu lujoso yate. Quiero impresionar a mi sobrino mañana.

Nate le permitió cambiar de conversación porque nada que él pudiera decir cambiaría lo que ella pensaba. Se limitaría a hacer lo que fuera necesario para hacerla ver lo importante que era para él.

–¿Le gusta a Riley el mar?

–Le vuelve loco. Le encanta la pesca de alta mar; y, para tener solo siete años, no se le da nada mal. Marcia y yo le llevamos de viajes de pesca al menos una vez al mes –contestó ella.

–¿Qué ha pescado?

–La última vez que le llevamos, pescó un atún de cuatro kilos. El capitán tuvo que ayudarle a meterlo en el barco. ¿Quieres ver la foto?

–Sí, claro.

Jen se sacó el móvil y, después de apretar unas teclas, le enseñó la pantalla, en la que salía un niño al lado de un atún casi más alto que él. El niño tenía oscuros cabellos y los mismos ojos que Jen.

–Se le ve muy orgulloso de sí mismo –comentó él.

–Lo estaba. Marcia lo llevó a disecar y a enmarcar y ahora cuelga de una pared en la habitación de Riley. Pero no creo que tenga una foto de la habitación de mi sobrino.

Nate le echó un brazo por el hombro y le agarró el móvil.

–¿Qué te parece si nos sacamos una foto para que se la enseñes a tu sobrino?

–Estaría bien –respondió ella.

Nate le rodeó la cintura con un brazo, ella descansó la cabeza en su hombro, él alargó la mano con el móvil y disparó.

Vieron la foto después de sacarla y decidieron que había salido muy bien.

Mirándole fijamente, Jen dijo:

–Este tipo de cosas hacen que quisiera que fueras otro hombre.

Nate no supo qué responder. Sabía lo que Jen quería, un compromiso; o, al menos, la promesa de ir en esa dirección. Pero era algo que no podía hacer. Se había prometido a sí mismo que nunca se casaría, que no sentaría la cabeza porque su padre había dicho que los hombres Stern no estaban hechos para el matrimonio.

Y después del fracaso de su noviazgo, estaba convencido de que su padre había tenido razón. Por eso, se mantenía apartado de mujeres como Jen, mujeres que hacían algo más que divertirle y pasar el rato.

–¿Por qué no sacas fotos del interior del yate para enseñárselas a Riley mientras yo me encargo de echar un vistazo al radar y de cambiar el rumbo para volver?

Jen no dijo nada, solo se dio media vuelta y se alejó. Y él sabía que eso era lo mejor para los dos. Sabía que debían distanciarse y seguir sus caminos por separado.

Capítulo Siete

Nate la llevó al club para recoger su coche, pero ella no tenía ganas de separarse de él.

–¿Te apetece venir a mi casa a almorzar? Desde luego, mi casa no tiene una vista como la tuya, pero preparo los mejores sándwiches a la plancha del mundo –dijo Jen.

De pie junto a su coche, al lado de Nate, se sintió sumamente vulnerable. Ahí, a la luz del día, de vuelta al mundo real, se dio cuenta de lo pasajero de su relación con Nate.

–¿Los mejores del mundo? ¿Cómo no voy a probarlos?

–Estupendo. ¿Quieres seguirme en tu coche?

–Tengo que ir a la oficina un momento por si mis hermanos necesitan algo. Dame tu dirección y estaré ahí dentro de una hora.

Jen le dio la dirección y luego intercambiaron los números de sus móviles.

–Para poder ponernos en contacto en caso de que sea necesario.

Nate le dio un beso y le sostuvo la puerta del coche para que entrara. Mientras se alejaba, le miró por el espejo retrovisor. Nate aún estaba donde le había dejado cuando dobló la esquina de la calle.

Jen trató de no pensar en por qué le había invitado a comer. Marcia estaba en la oficina y Riley solía jugar al fútbol a esas horas.

Pero cuando entró en la casa, oyó voces de niños y se dio cuenta de que Riley estaba en casa.

–¡Tía Jen, hemos ganado el partido! –gritó el niño corriendo al recibidor para saludarla–. Lori nos ha traído a casa y nos ha dado pasteles y refrescos.

–Estupendo. Es la mejor forma de celebrarlo –dijo Jen.

Jen siguió a Riley por el pasillo hasta la cocina, donde estaban Lori, la niñera de Riley, y el hijo de ella, Edward; ambos sentados a la mesa.

–No sabía que ibas a estar en casa a estas horas.

–Ya, pues aquí estoy. Si tienes cosas que hacer y quieres marcharte, puedo encargarme de Riley hasta que venga mi hermana.

–La verdad es que sí, me vendría bien.

–En ese caso, puedes irte ya si quieres –dijo Jen.

–Todavía no –interpuso Riley–. Edward y yo tenemos que cambiar unos cromos.

–Pues hacedlo, pero rápido –dijo Lori.

–Cuando vine esta mañana, creía que iba a encontrarte en casa –dijo Lori después de que los niños salieran de la cocina.

–He pasado la noche fuera –contestó Jen.

–¿En serio? Enhorabuena. Pasas todo el tiempo trabajando o en casa.

Jen asintió. Edward y Riley volvieron en ese momento, charlando sobre los cromos que habían intercambiado.

–Venga, Edward, tenemos que irnos ya.

A Riley no le hacía gracia que su amigo se fuera, pero se le pasó pronto el disgusto. Se puso a hablar sin parar sobre el partido. Ella le escuchó, pensando que vivir con su sobrino era una de las mejores experiencias de su vida.

–¿Y tú qué has hecho hoy? –le preguntó Riley.

Jen agrandó los ojos al responder.

–He ido a navegar en un yate.

–¿En serio?

–Sí. ¿Quieres ver unas fotos?

–Claro –respondió el niño.

Jen le enseñó las fotos que había tomado en el barco y la foto de Nate y ella. Por supuesto, Riley le preguntó quién era él.

–Se llama Nate. Es un amigo, el dueño del yate.

–¿Crees que yo también podría ir en su barco?

–No lo sé, Riley. Pero se lo preguntaré.

–Gracias, tía Jen. ¿Quieres jugar conmigo?

–No, ahora no, cielo –respondió Jen–. ¿Por qué no vas a jugar tú un rato solo mientras yo preparo la comida? Nate va a venir ahora.

Riley se fue al cuarto de estar a jugar y ella encendió la radio y miró a su alrededor. La cocina era agradable y acogedora.

Vivía en esa casa desde que regresó a Miami, después de que la echaran del tour de baile de competición. Marcia la había invitado a vivir con ella y, entre las dos, habían hecho un hogar de la vivienda. En un rincón de la cocina había una puerta de cristal que daba al porche cubierto, y por la puerta del porche se salía al jardín, en el que había una portería de fútbol, y una fuente que había hecho ella misma.

Le gustaba esa casa, pero no tenía intención de vivir allí toda la vida.

Se sentó delante del mostrador y se dio cuenta de que no tenía ni idea de qué hacer con su vida. Se encontraba en medio de una crisis. El futuro era un misterio en ese momento.

Pensó en llamar a Nate para cancelar la cita al darse cuenta de que no quería que Nate fuera a esa casa. No quería que viera cómo vivía, que se diera cuenta de que aquello no era para él.

En ese momento, sonó una canción de Gloria Estefan: *Rhythm Is Gonna Get You.*

Jen se levantó y se puso a bailar.

—¡Tía, es nuestra canción! —gritó Riley al tiempo que entraba en la cocina.

Jen se echó a reír y el niño se puso a bailar a su alrededor, tal y como ella le había enseñado.

Estaban riendo, dando palmas y bailando cuando sonó el timbre, y Jen se dio cuenta de que el baile seguía siendo su vida, solo que ahora era diferente.

Riley le saludó cuando se abrió la puerta. La música se oía en el recibidor y Jen, detrás de su sobrino, reía y se movía al ritmo de la música. Y, de inmediato, se dio cuenta de que tía y sobrino se llevaban muy bien.

—Hola, Nate —dijo Riley al tiempo que le daba la mano.

Jen puso un brazo sobre los hombros de su sobrino mientras él le estrechaba la mano.

–Encantado de conocerte, Riley.

–La tía y yo estábamos bailando nuestra canción.

–¿Cuál es vuestra canción? –preguntó Nate.

–*Rhythm Is Gonna Get You* –respondió Jen–. ¿La conoces?

–Sí, me gusta –dijo Nate.

–Sí, a mí me encanta. Hemos estado bailando en la cocina –explicó Riley–. ¿Quieres venir conmigo a jugar con la videoconsola mientras la tía Jen termina de hacer la comida?

El niño miró a Jen.

–Sé que has venido porque te había prometido los mejores sándwiches a la plancha del mundo. ¿Te importa…?

Nate sacudió la cabeza.

–¿Necesitas ayuda? –preguntó él.

–No. Lo tendré todo listo en un cuarto de hora.

Jen se fue a la cocina mientras Riley le llevaba al cuarto de estar. Tenían un televisor de plasma y un sofá de cuero italiano muy cómodo. Riley se sentó en el suelo, encima de un cojín, y le ofreció otro a él.

–Hace mucho que no juego a esto –y no era eso lo que había imaginado que haría.

Demasiado hogareño para su gusto, el instinto le decía que saliera de allí a toda velocidad.

–No te preocupes, tendré paciencia contigo –le dijo Riley.

Nate agarró los mandos y jugó con el niño, pero no lograba concentrarse con el juego.

Mirando a su alrededor, se dio cuenta de que aquella era una casa acogedora. En una de las paredes había fotos de Jen y de su hermana a lo largo de los años. En una, aparecía Jen vestida con un traje de baile sujetando un trofeo. Vio a Marcia en la escalinata de un juzgado con una cartera y sonriendo a la cámara. Había otra foto de Jen en el hospital con su sobrino en los brazos, junto a la cama en la que estaba su hermana.

Se dejó hundir en el cómodo sofá, dándose cuenta de que no le resultaría nada difícil sentirse cómodo allí. No solo en la casa, sino llevando esa clase de vida. Pero no, no era su vida. No quería intentar ser alguien que no era.

–Has perdido –le informó Riley.

–Sí, eso parece. Jen me ha dicho que tienes un atún disecado en tu habitación.

–Sí –el niño se levantó de un salto–. Pero tenemos que recoger antes de que ir a mi cuarto para que lo veas. Si dejo los mandos por aquí tirados, no me dejarán jugar en una semana.

Nate asintió y ayudó al pequeño a recoger los cojines y a guardar la videoconsola. Después, Riley le condujo escaleras arriba, a su dormitorio.

El atún era el objeto dominante en la habitación.

–Cuando lo pesqué, no me lo podía creer. No pude meterlo en el barco solo, me tuvieron que ayudar –dijo Riley–. ¿Te gusta pescar?

–Sí, aunque no voy a pescar con frecuencia –contestó Nate. La última vez que lo había hecho había sido con Cam.

—¿Por qué no?

—El trabajo no me deja tiempo para ir a pescar.

Riley sacudió la cabeza.

—No entiendo por qué los mayores trabajan tanto. Mi madre también trabaja mucho y le gusta su trabajo. ¿A ti también te gusta el tuyo?

—Sí, me gusta. ¿Y tú, crees que te gustará trabajar cuando seas mayor?

—Yo voy a ser capitán de barco y me voy a pasar todo el tiempo pescando —contestó Riley.

—Buena idea.

—¿Siempre has trabajado en cosas de negocios? —le preguntó Riley.

—No. Antes era jugador de béisbol.

—¿En serio? No lo sabía. ¿Por qué ya no juegas?

—Vamos a bajar y te lo cuento, ¿te parece?

—Vale. ¿Juegas de vez en cuando?

—No, ya no juego nunca, Riley. Sufrí una lesión y tuve que cambiar de trabajo.

Riley se detuvo en las escaleras y se lo quedó mirando.

—Pues yo sería muy desgraciado si no pudiera pescar.

Nate le revolvió el cabello.

—Puedo jugar por diversión, pero no lo hago porque no tengo tiempo.

—Al padre de mi mejor amigo, Edward, le pasa lo mismo. Por eso es por lo que se ha hecho entrenador de nuestro equipo de fútbol, para poder jugar y relajarse… Bueno, eso es lo que dice Lori.

—¿Quién es Lori?

–La madre de Edward y mi niñera. Mamá y la tía Jen no pueden estar en casa todo el tiempo.

–¿Por el trabajo? –preguntó Nate, dándose cuenta de que, en opinión de Riley, tanto su madre como su tía trabajaban demasiado.

–Sí. Pero sé que es porque no podríamos vivir si no trabajaran, así que no digas que me he quejado, ¿vale?

Nate asintió. Y, en ese momento, Jen les llamó para que fueran a almorzar.

Nate había insistido en ir a la tienda de deportes de la zona para comprar un bate, una pelota y guantes de béisbol con el fin de poder ir a jugar un rato al parque. Riley estaba entusiasmado y no dejaba de subrayar que, evidentemente, Nate era un hombre que sabía que la vida no se limitaba al trabajo.

Nate fue muy paciente con Riley enseñándole a lanzar la pelota de béisbol.

–Lo haces muy bien.

–Ahora te toca a ti, tía.

–A mí no se me da tan bien como a ti –le dijo ella a su sobrino, y se lo demostró con un lanzamiento terrible.

Riley sacudió la cabeza.

–¡Qué mal lo has hecho!

–Soy bailarina, no una jugadora de béisbol –repuso ella.

–Creo que hoy vas a ser las dos cosas –le informó Riley.

–Sí, tienes razón.

–Vamos, prepárate para lanzar otra vez –le dijo Nate–. No olvides mover el brazo como te he enseñado –entonces, se dirigió al pequeño–. ¿Listo, Riley?

–Estoy listo, Nate.

Continuaron así durante un buen rato. Ella empezó a mejorar sus lanzamientos y se lo estaba pasando tan bien que olvidó que tenía que tener cuidado de no enamorarse de Nate.

El teléfono móvil sonó y vio que era Marcia.

–Hola –dijo Jen contestando la llamada.

–Hola. ¿Dónde estáis? He visto tu coche, pero no a vosotros.

–Estamos en el parque jugando al béisbol.

–¿Jugando tú al béisbol? Pero si se te da fatal.

–Eso era antes, he mejorado mucho.

–¿Está Nate con vosotros?

–Sí. Ha venido a almorzar con nosotros y luego quería traer a Riley aquí a jugar.

–¿En serio? No parece tratarse del mismo hombre que conocí anoche –comentó Marcia–. En fin, gracias por encargarte de Riley.

–Lo estoy pasando muy bien. Ya sabes que le adoro.

–Sí, lo sé. De todos modos, gracias.

Cuando Jen colgó el teléfono, Nate se le acercó.

–¿Hablabas con tu hermana?

–Sí –entonces, se volvió a su sobrino–. Riley, mamá ya está en casa. ¿Nos vamos ya?

–¡Sí! Quiero enseñarle cómo lanzo.

–La vas a dejar impresionada –le dijo Jen.

–Nate, ¿vienes a casa conmigo para tirar la pelota? Se te da mejor que a la tía Jen –Riley miró fijamente a Nate.

–Me encantaría, pero no puedo quedarme mucho tiempo, tengo una noche muy ocupada.

–¿Trabajas por la noche? –le preguntó Riley.

–Sí, es cuando abre el club.

–¿Trabajas con mi tía Jen? ¿Eres bailarín también? –preguntó el niño.

Nate se echó a reír.

–No, no. Mis hermanos y yo somos los dueños del club.

–Parece un buen trabajo –comentó Riley, asintiendo con la cabeza.

Nate dio al niño una palmada en el hombro.

–Está muy bien, pero no me queda tiempo para jugar al béisbol ni para ir a pescar.

–Pero eres el jefe –interpuso Riley–. Deberías cambiar las reglas.

Jen se echó a reír por la forma como su sobrino había hablado.

–Sí, tienes razón, debería hacer eso –concedió Nate.

Nate les acompañó hasta la puerta de la casa. El niño entró y ella se quedó fuera para despedir a Nate, que tenía las llaves del coche en la mano y parecía ansioso por marcharse.

–Nate…

–¿Sí?

–Gracias por haber tenido tanta paciencia.

–No hay de qué. Creo que es el único chico con el que he tratado desde que me hice mayor –comentó él.

–Mi vida es muy distinta a la tuya –dijo ella, consciente de que pertenecían a dos mundos distintos.

–Sí, lo es. Bueno, tengo que marcharme ya, Jen.

–Adiós.

Mientras le veía alejarse, Jen pensó en lo bien que se le daba a Nate adaptarse a cualquier situación.

Capítulo Ocho

–Gracias, chicos. Gracias por hacer tiempo para reuniros conmigo –dijo Cam al llegar a la sala VIP, en el primer piso al fondo, donde le esperaban Nate y Justin.

El club estaba vacío, a excepción de los empleados. Aún faltaba una hora para abrir.

–Nada, no te preocupes. ¿Qué pasa?

–Tenemos que empezar a preparar la celebración, en mayo, del décimo aniversario. Justin, me gustaría que fueras a hablar con los representantes de la comunidad local y les convencieras para que participen en esto. Han contratado los servicios de un abogado de Maniatan para oponerse a una expansión excesiva, así que te agradecería que te asegurases de que no nos van a crear problemas.

–Enseguida me pondré con ello, hermano. Va a haber una reunión esta noche, iré y veré qué se traen entre manos.

–Estupendo. Y en cuanto a ti, Nate, quiero que consigas que se apunte a la fiesta el mayor número posible de famosos. Pero no solo que se pasen por aquí, sino que se unan a la fiesta en la calle.

–Me pondré a llamar a gente de inmediato. ¿Qué quieres que hagan? Estoy seguro de que Hutch vendrá y hará un número rap, pero... ¿qué más se te ocurre?

–Le he pedido a Jen Miller que prepare la coreografía de un baile espectáculo durante toda la noche del sábado. Quiero exhibir todo lo que el club puede ofrecer.

–De acuerdo, no hay problema –dijo Nate–. Dentro de unos días te diré quién viene.

Continuaron hablando un rato y Nate, de repente, se dio cuenta de que no quería que acabara la reunión, quería hablar con sus hermanos... de su madre. Por primera vez en mucho tiempo. Por primera vez en mucho tiempo, quería contrastar la opinión que tenía de ella con las de sus hermanos.

Justin se levantó para marcharse, pero Nate le detuvo.

–Yo... anoche salí con Jen.

–¿Nuestra empleada? –preguntó Cam arrugando el ceño, con expresión de censura.

–Sí. No he hecho nada malo, como amenazarle con echarla del trabajo, así que tranquilízate.

Cam se puso en pie y se inclinó sobre la mesa.

–¿Te has acostado con ella?

Nate no respondió. Lo que había entre Jen y él era un asunto privado.

–Eso no está abierto a discusión. Solo quería decíroslo porque puede que vuelva a salir con ella.

Quería explicarles que Jen era diferente y ver si a sus hermanos se les ocurría alguna explicación de por qué esa mujer en concreto le hacía reaccionar de forma diferente a las demás. Pero no podía preguntárselo, eso era algo de lo que los hombres no hablaban.

–Felicidades –dijo Justin–. No la conozco bien, pero si te apetece salir con ella, adelante.

Nate lanzó una penetrante mirada a su hermano. De los tres, Justin era el que más se parecía a su madre físicamente.

–Así que… ¿no tenéis ninguna objeción?

–Siempre y cuando no pongas en peligro el trabajo de ella, adelante. Si te parece, podría redactar un contrato, que firmaríais los dos, en virtud del cual…

Nate sacudió la cabeza.

–No, no me gusta la idea. Jen es diferente. Vive con su hermana y con su sobrino.

Cam rodeó la mesa y se sentó en la silla que Justin había dejado vacante.

–La familia es importante para Jen. No es como las chicas con las que estás acostumbrado a salir, Nate.

–Lo sé –respondió Nate.

Cam estaba asumiendo el papel de hermano mayor, le daba igual que Justin y él fueran ya dos hombres, Cam seguía tratando de cuidarles y darles consejos.

Justin asintió.

–No te preocupes, Cam, Nate ya es un hombre.

Cam sacudió la cabeza.

–Eso me da igual. Lo que me preocupa es la posibilidad de perder una empleada muy valiosa. Jen ha obrado milagros a la hora de desarrollar mis planes respecto a las actividades del club del piso de arriba.

–Eso lo hiciste tú solo –le recordó Nate–. Lo que pasa con Jen es que tiene el talento suficiente para hacer que la gente se levante de la silla y se ponga a bailar.

–Y es precisamente por eso por lo que el club tiene tanto éxito, Nate. Así que ten cuidado con ella, no me gustaría tener que ponerme a buscar una sustituta.

Cam se marchó antes de que él pudiera decir nada más. Justin se quedó allí, a la espera, pero él se levantó y también se fue. Salió del club y comenzó a recorrer la Calle Ocho. Se detuvo en la esquina, se volvió y se quedó contemplando su club, el Luna Azul.

No iba a hacer nada que pusiera en peligro el éxito que había conseguido ahí, con el club. Era demasiado mayor para cambiar de profesión y, además, le gustaba mucho lo que hacía.

Y tampoco estaba dispuesto a ser la causa de que Jen perdiera su trabajo. Sabía lo mucho que le había afectado tener que dejar el baile de competición y era consciente de que Jen estaba haciendo un gran esfuerzo por rehacer su vida. Lo último que ella necesitaba en esos momentos era un hombre que sólo quisiera divertirse con ella.

Por mucho que quisiera ser algo más que un amante temporal, sabía que no podía ser nada más. Porque aunque lo que sentía por ella era intenso, sabía que acabaría disipándose y se separarían.

Jen se despertó cuando Riley y Marcia se preparaban para salir. Una de las ventajas de su trabajo era no tener que madrugar. Se levantó, se puso la bata y bajó las escaleras.

No había tenido noticias de Nate el día anterior, pero no le había extrañado. Ninguno de los dos sabía muy bien qué clase de relación era la suya, si se podía llamar relación.

—Buenos días, tía Jen —dijo Riley, y le dio un abrazo.

—Buenos días, Riley.

—Mamá, ya estoy listo.

—Estupendo. Ve al coche y espérame ahí, tengo que hablar un momento con la tía Jen.

Riley asintió y salió de la casa. Marcia se quedó en el umbral de la puerta para abrir el coche con el control remoto y poder vigilar a Riley.

—Te he dejado el periódico para que le eches un ojo.

—Sabes que no leo el periódico —contestó Jen mirando a su hermana.

—Hoy, sí. Hay una foto de Nate con una mujer, me parece que es alguna princesa española…

Jen asintió. Aunque sabía que no debía hacerse ilusiones respecto a él, le dolió.

—Da igual, solo somos amigos.

Marcia la abrazó.

—Si quieres que hablemos, podría volver después de dejar a Riley. Hoy no tengo ningún juicio.

–No, gracias. Tengo una reunión a las once en el club para hablar de la fiesta del décimo aniversario. Además, solo he salido con él una vez.

Jen no quería hablar de eso. Quería estar solo y averiguar por qué se sentía tan dolida cuando era perfectamente consciente de que Nate no iba a dejar su vida por ella.

–No te preocupes por mí, estoy bien –añadió Jen–. Que pases un buen día.

Marcia apretó los labios.

–Sé que esto te va a doler. Es lo último que necesitabas en estos momentos –dijo Marcia disgustada.

–Marcia, déjalo. Estoy haciendo lo que puedo por mantener la calma, no me lo pongas más difícil. No quiero echarme a llorar.

Su hermana volvió a abrazarla y luego se dio media vuelta para marcharse.

–Llámame si me necesitas para algo.

–Lo haré, no te preocupes.

Jen cerró la puerta y se apoyó en ella. No quería ver la foto de Nate con otra mujer. No quería ver la prueba de que la noche siguiente de estar con ella la había pasado con otra mujer.

Pero no era una cobarde, por lo que se dirigió a la cocina y vio la taza que su hermana le había dejado al lado del periódico.

Se sirvió café en la taza y, con el periódico en la mano, salió al jardín. Se sentó al lado de la fuente y se llenó los pulmones con el aroma del jazmín y el hibisco.

Jen bebió un sorbo de café, dejó la taza en el suelo y abrió el periódico…

En la foto, Nate tenía un brazo sobre los hombros de una mujer, que reía y le miraba como ella misma lo había hecho. Y el dolor que sintió fue profundo.

Dejó el periódico y agarró la taza de café. Se puso a pasear por el jardín mientras se preguntaba qué iba a hacer. Alison le había dicho que los hombres divertidos solo querían divertirse, que la única forma de enfocar la relación con ellos era reconocer que solo se trataba de divertirse, nada más.

Y eso no era culpa de Nate. Era ella quien había actuado impulsivamente.

Bebió un sorbo de café. No podía dejar el trabajo y buscarse otro, no había muchos clubs de primera que necesitaran bailarinas. Y tampoco quería marcharse de Miami.

El día anterior, mientras cuidaba de Riley, había estado pensando que quizá abandonar el baile de competición había sido una buena cosa. Había llegado la hora de sentar la cabeza y pensar en formar una familia.

Debía dejar de soñar con que Nate iba a dejar su estilo de vida y se iba a casar con ella. Era hora de enfrentarse a la realidad y dejar de refugiarse en casa de su hermana. Debía buscar una casa y empezar a vivir su vida.

Y no quería empezar una nueva vida en un lugar en el que no tenía raíces ni familia ni amigos. Se negaba a que Nate Stern la hiciera dejar el trabajo y su ciudad.

***

La noche anterior, después de la reunión con sus hermanos, Nate había pensado en llamar a Jen, pero al final no lo hizo. Tras pensarlo mucho, había llegado a la conclusión de que tenía que romper con ella y, realmente, solo sabía una forma de hacerlo…

La condesa Anika de Puaron y Bautista de la Cruz era hermana de uno de sus mejores amigos, el conde español Guillermo. Gui y unos amigos más eran propietarios de una cadena de clubs nocturnos europeos llamados Seconds. Salir con su hermana había sido algo natural, eran casi como de la familia.

Sabía que no era el hombre adecuado para Jen. Ella se merecía a alguien que pudiera ofrecerle más de lo que él podía ofrecerla.

Y ahí estaba, en otra reunión en la que no quería estar, tratando de comprender por qué Jen ni siquiera le miraba. Se encontraban en la sala de reuniones de las oficinas del club en el centro de Miami. Justin estaba sentado en un extremo de la mesa con su ayudante, el chef Antonio Caruso estaba sentado al otro lado de él, y el jefe de seguridad, Billy Pallson, al lado de Caruso.

Había dos sillas de separación entre Jen y Billy, al otro lado de la mesa de donde se encontraba él. Conocía lo suficiente a las mujeres para saber que Jen estaba enfadada con él. Y aunque era eso lo que había esperado que ocurriera al salir con Anika la noche anterior y asegurarse de que salían en los periódicos, no le gustó.

–Bueno, empecemos la reunión –dijo Cam al entrar en la sala.

Su ayudante, Tess, y una mujer a la que Nate no conocía, le siguieron.

–Esta es Emma Nelson, la planificadora a la que he contratado para que nos ayude a organizar la fiesta –anunció Cam. Después, le presentó a Emma a todos los allí reunidos.

Emma comenzó a esbozar el plan de acción, pero Nate no tardó en dejar de escuchar y concentrarse únicamente en Jen: Jen tomando notas, Jen bebiendo un sorbo de agua, Jen lanzándole una mirada asesina…

No lo comprendía, pero no quería dejar de estar con ella.

Sin embargo, Jen se merecía hacer realidad sus sueños y él no era la clase de hombre con la que podía lograrlo.

Pero la deseaba y, en esos momentos, lo que más le habría gustado era estar a solas con ella y hacerle el amor ahí mismo, encima de la mesa. Jen le atraía como no le atraía ninguna otra mujer, le despertaba una gran pasión. Pero tenía miedo de que, si se entregaba a esa pasión, acabara sintiendo algo más profundo por Jen.

La miró fijamente y vio los reflejos del sol en sus oscuros cabellos, y recordó la imagen de Jen en el barco.

Quería volver a verla allí. No quería seguir los consejos de Cam, que le habían hecho creer que Jen necesitaba algo más de la vida de lo que él podía ofrecerle. No era la clase de hombre que renunciaba a lo que quería y no iba a renunciar a Jen.

No, de ninguna manera.

–¿Nate?

–¿Sí?

–Emma ha preguntado quién va aparecer en el escenario principal –dijo Cam.

–Hutch Damien. Va a montar un espectáculo de rap y supongo que querrá hablar con Jen para que sus bailarines formen parte de su función. Jen y yo podríamos reunirnos después para hablar de esto.

Hutch sería un éxito. Se le había comparado con Will Smith.

–Bien –contestó Cam–. ¿Quién más?

–Ty Bolson y su esposa, Janna McGree, van a venir también y van a cantar. Tienen mucho éxito en el mundo de la música country. También van a venir mis antiguos compañeros de los Yankees para montar una competición de lanzamiento de pelota.

–Estupendo –dijo Emma–. En mi opinión, como el centro de atención va a ser el Luna Azul, creo que los conciertos deberían tener lugar en el club, aunque quizá los cantantes podrían cantar una o dos canciones en la calle. Podríamos montar un escenario en la calle, si es que os parece que la comunidad nos lo permitiría.

–Justin estaba en ello –Cam dijo.

–He asistido a una reunión de los líderes de la comunidad y voy a tener otra con ellos hoy. Por el momento, no parecen apoyarnos en nada. Incluso han solicitado un requerimiento judicial para impedirnos reconstruir el mercado que hemos adquirido. Tengo una cita con su abogado para hablar de ello precisamente.

–Gracias, Justin –dijo Cam–. Billy, en cuanto al tema de seguridad, ¿qué aconsejas?

Continuaron discutiendo temas relevantes durante un rato más. Por fin, cuando la reunión llegó a su fin y Nate vio a Jen recoger sus papeles, se dio cuenta de que iba a marcharse a toda prisa de allí.

–Jen, ¿tienes tiempo para hablar conmigo de la fiesta? –le preguntó Nate–. Mi despacho está al final del pasillo.

Ella le miró y asintió.

–Buena idea –interpuso Cam–. Dentro de una semana, a la misma hora, quiero a todo el mundo de vuelta aquí. A partir de este momento y hasta el día de la fiesta, nos reuniremos aquí semanalmente. Gracias.

Todos se marcharon, menos Jen y él.

–No sé dónde está tu despacho –le dijo Jen, a la espera.

–Lo sé. Vamos.

Nate la condujo a su despacho, al final del pasillo. Su secretaria les ofreció bebidas, pero Jen rechazó la invitación y él cerró la puerta.

–Se te da muy bien.

–¿El qué? –preguntó él.

–Se te da muy bien hacerle pasar un buen rato a una chica… y se acabó.

Capítulo Nueve

En el momento de verle, Jen le había deseado. El hecho de que Nate no hubiera dejado de mirarla durante la reunión, no había ayudado. Creía haber visto arrepentimiento y deseo en la mirada de Nate, aunque sabía que eso solo se debía a que era lo que quería ver, nada más.

Se estaba engañando a sí misma. Era su imaginación. ¿Acaso no había aprendido la lección, después de que su relación con Carlos hubiera sido la causa de que le prohibieran volver a participar en el baile de competición?

¿Iba a ser una de esas mujeres que siempre se equivocaban en lo tocante a los hombres?

–Gracias por acceder a reunirte conmigo –dijo él.

–¿Tenía otra alternativa? –preguntó Jen.

Nate arqueó una ceja, mirándola.

–Sí, la tenías.

–Lo sé. Es que hoy no estoy en mis cabales. Dime qué clase de baile crees que deberíamos montar para acompañar a Hutch. Solo he oído un par de canciones de Hutch por la radio, no estoy familiarizada con su música. ¿Crees que podríamos conseguir que viniera a ensayar con nosotros?

–Antes de hablar del trabajo, preferiría que habláramos de nosotros?

–¿Qué es lo que tenemos que hablar? Nos enrollamos una noche y salimos un día, ya está.

Nate sacudió la cabeza.

–No nos enrollamos solamente. Lo que hay entre nosotros no es tan superficial y tú no eres la clase de chica que se enrolla y ya está.

–Eso no importa, lo que importa es que tú sí eres esa clase de hombre.

–Has visto la foto de Anika y yo, ¿verdad?

–Sí, la he visto. Pero no me ha sorprendido, sé muy bien la clase de relaciones que tú tienes.

Nate se acercó a la ventana.

–No quiero que pienses que no significas nada para mí –dijo él, sin saber qué estaba viendo realmente, pero consciente de que, en esos momentos, no quería mirar a Jen a la cara.

–No lo hago. Creo que, la otra noche, no nos comportamos como solemos hacerlo y por eso pudimos conectar. Pero... no quiero que, por ti, tenga que irme de este lugar. Vivo aquí, estoy empezando una nueva vida y me gusta y necesito el trabajo que tengo.

Nate se volvió de cara a ella.

–Entendido. Hoy, durante la reunión, me he dado cuenta de que quiero de ti más de lo que suponía. Bueno, no, la verdad es que lo sé desde el principio, pero tenía miedo de que no fueras la mujer que creía que eras.

–¿Cómo crees que soy?

–Creo que eres una persona que se preocupa de

la gente que le rodea. Sé que, la otra noche, no estabas conmigo por mis amigos ni mis contactos. Y eso es algo a lo que no estoy acostumbrado.

–Eso lo entiendo, Nate. Pero no estoy segura de lo que quieres de mí –dijo ella.

–Quiero salir contigo. Quiero conocerte mejor y ver si hay algo más entre los dos, a parte de la atracción sexual.

Jen asintió.

–Te agradezco la sinceridad.

–No voy a mentirte, Jen. Sé que habrá momentos en los que tenga que salir con otras mujeres y que nuestras fotos aparecerán en las revistas, pero eso son gajes del oficio, publicidad que el club necesita. ¿Podrás soportarlo?

Jen ladeó la cabeza y se lo quedó mirando.

–Puede que sí. No me importa que salgas con otras por esos motivos, pero no quiero que me tomes el pelo. Si vamos a salir juntos, para mí es imprescindible que seas monógamo. No estoy dispuesta a formar parte de tu harén.

Nate la sorprendió al lanzar una carcajada.

–No tengo un harén, Jen. Nunca he tenido un harén. Lo único que he querido ha sido divertirme, y creo que tú y yo podemos divertirnos mucho juntos.

–De acuerdo –dijo ella–. Yo tampoco estoy en un momento como para tener relaciones serias, pero me gustas.

Nate se acercó a ella.

–Perfecto. ¿Sellamos el trato?

—¿Qué? ¿Cómo?

—Con un beso —respondió Nate.

Jen le sonrió y, por primera vez ese día, se sintió feliz.

Jen había temido no volver a encontrarse en los brazos de Nate y se alegraba de estar ahí otra vez. Apoyó la cabeza en su pecho, justo sobre su corazón, y lo oyó latir.

Nate le pasó las manos por la espalda, de arriba abajo, hasta posarlas en sus caderas. Sintió la erección de él, pulsante, contra su sexo. Alzó la mirada, Nate bajó la cabeza y la besó.

La lengua de Nate saboreó la suya, y Jen se olvidó de todo lo demás. Los brazos de Nate volvían a rodearla, tal y como había soñado que ocurriera desde cuando se despidieron a la entrada de su casa.

Nate se apoyó en la mesa del despacho y tiró de ella hacia sí mientras continuaba acariciándole el cuerpo. Ella le devolvió las caricias, sin conseguir saciarse. Quería más. Quería desnudarse, sentir la piel de él…

Bajó una mano y le acarició el miembro por encima de los pantalones y, entonces, le cubrió con la mano.

Nate separó las piernas. Ella juguoteó con él, acariciándole con una mano sola; por fin, ayudándose de la otra, le bajó la cremallera.

Nate le subió la falda por las piernas, despacio; después, le agarró las nalgas y se las acarició por encima de las bragas.

Después de haberle abierto la braguea, Jen le acarició el duro miembro, que endureció aún más con las caricias. Nate se volvió, la levantó y la sentó en el escritorio, tirando sin querer un bote de lápices y bolígrafos.

Jen le miró fijamente a los ojos y vio que el deseo le había dilatado las pupilas a Nate. También estaba sonrojado mientras le subía la blusa.

Sintió las manos de Nate en el vientre y más arriba, en los pechos.

Jen se agachó para terminar de bajarle los pantalones y los calzoncillos. Después, acarició el duro y engordado miembro.

Nate le susurró su pasión, lo mucho que la deseaba. Y, entonces, le sintió entre las piernas. Nate le rodeó la cintura con un brazo y la levantó ligeramente para bajarle las bragas. Después, con impaciencia, le puso las manos en los muslos y le separó las piernas…

La penetró hasta dentro. La poseyó completamente, con frenéticos empellones. Al alcanzar el clímax, ella abrió la boca para pronunciar el nombre de Nate, pero él la besó, capturando el sonido.

Nate le embistió un par de veces más y se corrió, llenándola con su esencia. Ella se abrazó a Nate y apoyó la cabeza en su hombro.

–¡Menudo beso nos hemos dado! –exclamó Nate con ironía.

Jen le sonrió.

–Esa puerta da a un baño, por si quieres.

–Con otro hombre, ahora tendría vergüenza.

–¿Pero conmigo no?

Jen sacudió la cabeza.

–Contigo, todo parece de lo más natural.

–Me alegro –respondió Nate, asintiendo.

Jen fue al cuarto de baño y se secó con la toalla de las manos. Tenía el cabello revuelto y los labios hinchados. A pesar de haberse estirado la ropa, no se necesitaba ser un genio para adivinar lo que había estado haciendo en el despacho.

Pero no le importaba.

Nate era un hombre que vivía la vida con pasión. Durante mucho tiempo, ella había dedicado toda la energía que poseía al baile, pero había llegado el momento de vivir en el mundo real.

Las semanas siguientes se le pasaron volando. No se arrepentía de estar saliendo con Jen; en realidad, estaba resultando ser una de las mejores decisiones que había tomado en su vida. Estaba descubriendo que no necesitaba salir con mujeres famosas para que su foto apareciera en las revistas. De hecho, empezaba a darse cuenta de que muchos de sus famosos amigos se habían casado y no echaban de menos la vida de solteros.

Le gustaba estar con Jen, aunque pensar en el futuro seguía poniéndole un poco nervioso. Y aún no sabía por qué Jen había tenido que dejar el baile de competición.

Por eso, cuando Carlos Antonio apareció un día a primeras horas de la tarde en el Luna Azul y preguntó por Jen, a Nate le pareció estar cerca de descubrir lo que había pasado.

–Está dando clase ahora –dijo Nate bajo el cielo de cristal de Chihuly.

–Esperaré entonces –respondió Carlos.

Carlos no era muy alto, pero sí delgado. Iba bien vestido y parecía tener unos cuarenta y pocos años.

–Subamos al club del ático. Jen va a salir ahí con su grupo dentro de un rato.

–¿Quién es usted?

–Soy Nate Stern, este club es de mis hermanos y mío. ¿Y usted es…?

–Carlos Antonio. Bailarín de fama mundial.

Y sumamente presumido, pensó Nate.

–Por eso conoce a Jen, ¿no?

–Sí, del baile. ¿Ha oído hablar de mí?

Nate negó con la cabeza.

–No sé gran cosa del baile de competición. A mí me tira más el deporte.

Tras una leve mueca de desagrado, Carlos dijo:

–Está bien, iré con usted a esperar a Jen.

Nate le guió hasta el club del ático y tomaron asiento.

–¿Le apetece algo de beber?

–Un whisky con hielo.

Nate, con un gesto, llamó la atención de una camarera y le pidió las bebidas.

–¿Vive usted aquí?

–No. He venido para participar en un concurso de baile y se me ha ocurrido pasarme a saludar a Jen.

Nate se alegró al oír los familiares acordes de *Mambo número cinco* y, al momento, vio a Jen y a sus alumnos saliendo a la pista de baile.

Jen miró en su dirección; pero al ver con quién estaba, se le desvaneció la sonrisa.

Nate miró a Carlos y notó su expresión de satisfacción. Y tuvo la impresión de que Carlos se había propuesto disgustar a Jen y le alegraba haberlo conseguido.

Nate contuvo las ganas de dar un puñetazo a ese hombre.

–¿A qué ha venido? –le preguntó Nate.

–Ya se lo he dicho, a ver a Jen. Tenemos un asunto pendiente –contestó Carlos.

–Me parece que no. De hecho, sé que Jen ha dejado ese mundo atrás, definitivamente.

–¿En serio? ¿No será, por el contrario, que ese mundo la ha dejado a ella? –respondió Carlos.

–Sea como sea, Jen ya no tiene nada que ver con todo eso –declaró Nate–. Me parece que debería marcharse.

–Antes tengo que hablar con ella –respondió Carlos–. Váyase y déjeme solo si quiere.

Y eso fue lo que Nate hizo. Se acercó a la pista de baile y esperó a que Jen acabara su clase. Sabía que, en poco tiempo, Jen tenía que ir a cambiarse, a ponerse el vestido de flamenco para el espectáculo con Alison; sin embargo, aquello no podía esperar, tenía que hablar con ella.

Cuando acabó la clase, Jen fue rápidamente al vestuario.

–¿Quién es Carlos y qué significa para ti? –le preguntó Nate, ya que estaban solos.

–Era… ahora no puedo hablar de ello, no tengo tiempo para explicártelo. Digamos que es por él por lo que no puedo participar en el baile de competición.

–Voy a llamar a los de seguridad para que le echen –declaró Nate.

Nate se volvió para ir a ver a Billy, pero Jen le puso una mano en el brazo para retenerle.

–Espera. Quiero saber a qué ha venido. Quizá pueda ayudarme a que revoquen la sentencia.

A Nate no le gustaba que Jen hablara con ese hombre, tampoco le gustaba que Carlos pudiera ayudarla ni que ella volviera al mundo del baile de competición.

–Creía que estabas contenta con el cambio de vida.

–Y así es. Pero quiero ver qué quiere decirme.

–De acuerdo. Avísame si me necesitas. Voy a bajar al club principal.

–Nate, no tienes de qué preocuparte. Solo quiero saber a qué ha venido, nada más.

Él asintió.

–Lo comprendo. Envíame un mensaje cuando se haya marchado y me reuniré contigo.

–Lo haré –respondió Jen, y le dio un beso.

Capítulo Diez

Una vez que acabaron el baile de flamenco, Jen se quitó el traje y se despidió de Alison. Tenía ganas de hablar con Carlos. Esperaba que él, por fin, hubiera dejado de decir que ella se había acostado con él para conseguir mejor puntuación cuando él formaba parte del jurado en los concursos en los que ella participaba. No estaba segura de querer volver al mundo del baile de competición, pero quería que su reputación volviera a estar intacta.

Y Carlos era la única persona que podía ayudarla a lograrlo. Tras enterarse de que sus relaciones eran del domino público, había ido a hablar con los jueces sin decírselo a ella. Les había dicho que el sentimiento de culpa no le dejaba continuar la relación. Y aunque Carlos no había formado parte del jurado en ninguno de los concursos en los que ella había participado, la duda estaba sembrada.

A Carlos le habían bajado de categoría como castigo, de juez internacional había pasado a ser juez regional. Pero había podido continuar trabajando en el baile de competición, algo que a ella le habían vetado.

Y ahora… ¿a qué había ido a verla?

Se recogió el pelo en un moño y se maquilló. Se

había vestido con unos vaqueros ceñidos, sandalias y una blusa atada a la cintura. Nate le había prometido llevarla a navegar a la bahía Vizcaína, y estaba deseando salir. Si Carlos había ido a darle una buena noticia, podría hablarle a Nate sobre su pasado.

Jen salió del vestuario y se dirigió al club del ático, a la mesa en la que Carlos estaba sentado.

Carlos se levantó al verla y ella le sonrió.

–Buenas noches, Carlos. Qué sorpresa verte por aquí.

Carlos se sentó de nuevo y ella hizo lo mismo.

–Dime, ¿a qué se debe tu visita? –preguntó Jen.

–El concurso ha venido a la ciudad.

–Pero tú no estás de juez, ¿no?

–No, no estoy de juez. He oído que presentaste un recurso contra la sentencia.

–Sí, así es. Quiero limpiar mi nombre.

–Y yo te pido que lo dejes –dijo Carlos.

–¿Por qué? Tú no perdiste nada, pero yo sí. Quiero recuperar mi buena reputación.

–No lo vas a conseguir –repuso Carlos–. Deberías cejar en el empeño.

–Puede que tengas razón. Pero dime, ¿a qué has venido realmente?

–Necesito tu ayuda –contestó Carlos. Me debes un favor.

Jen no comprendía qué inducía a Carlos a creer que le debía nada.

–¿En qué quieres que te ayude?

–Necesito que me recomiendes como profesor de baile en la escuela de la Calle Ocho.

–¿Por qué me lo pides a mí?

–Tus jefes son los dueños del mercado donde está la escuela de baile. Si me recomiendas, no volveré a molestarte.

–¿Contarás a los miembros de la junta directiva lo que pasó realmente?

–Dejemos eso –contestó Carlos–. Tú ya no puedes volver. El pasado te está impidiendo concentrarte en el futuro.

Eso no era verdad. Ella había cambiado de vida, pero seguía con la idea de limpiar su nombre.

–Veré lo que puedo hacer, aunque no sé si podré ayudarte.

–Puedo hacértelo pasar mal, Jen. Podría contarle a Nate por qué tuviste que dejar el baile de competición.

Jen negó con la cabeza.

–A Nate no le interesa el baile.

–En fin, hazme este favor, Jen, y te dejaré en paz.

Jen lo dudaba.

–Bueno, ya veremos.

–Hazlo, Jen. Sabes que el Luna Azul tiene problemas con los líderes de la comunidad, y a mí no me da miedo acudir a mis contactos para complicarles la vida.

A Jen le pareció ridículo que Carlos le amenazara. Podía dejar de trabajar en el club para evitar que Carlos les hiciera daño.

–Veré lo que puedo hacer.

–Haz lo que te he pedido o te pondré las cosas muy difíciles. Si no me consigues ese trabajo…

–¡Qué! No puedo garantizar que te lo den.

–Será mejor que lo consigas. Si no, vas a necesitar mucho dinero para hacer que mantenga la boca cerrada.

Carlos se levantó de la mesa y ella se lo quedó mirando mientras se alejaba, preguntándose por qué se le había ocurrido tener relaciones con un hombre así. Carlos carecía de principios.

Pero eso no significaba que pudiera ignorar sus amenazas. Sabía que tenía que contárselo no solo a Nate, sino también a Cam.

El móvil le vibró en el bolsillo y, al mirar la pequeña pantalla, vio que era un mensaje de Nate. Quería saber si estaba bien.

Tragó saliva. No le apetecía contarle a Nate lo de Carlos, pero no tenía alternativa.

Le envió un mensaje diciéndole que Carlos se había marchado y que iba a reunirse con él en el club.

–No hace falta, estoy aquí –dijo Nate, a sus espaldas–. ¿En serio estás bien? Te veo un poco pálida.

–Mmm. ¿Podríamos ir a alguna parte a hablar?

–Sí, claro. Pero… ¿por qué no aquí?

–Porque el club no es el lugar adecuado para hablar.

–¿Qué ha ocurrido? Annie, la camarera, me ha dicho que parecías estar teniendo una discusión con Carlos. Le había pedido que te echara un ojo por si tenías problemas y necesitabas ayuda. No me fiaba del tal Carlos. Dime, ¿qué quería?

–No puedo hablar aquí –insistió Jen.

–Entonces, vámonos –dijo él.

Salieron del club y Nate la condujo a su coche.

–Vamos a la playa.

–Me parece bien –respondió Jen.

Jen necesitaba tiempo para pensar en qué le iba a contar y cómo le iba a explicar que su pasado podía afectar el futuro de él.

–¿Quieres contármelo por el camino? –preguntó Nate.

–No. Necesito tiempo para pensar.

–¿Tan terrible es?

–Todavía no lo sé –respondió Jen, y sacudió la cabeza.

La situación parecía bastante complicada.

Andaban por la playa agarrados de la mano. Nate esperaba que Jen se diera cuenta de que estaba de su lado, quería que comprendiera que no iba a permitir que nadie le amenazara.

–¿Qué era lo que Carlos quería?

–Creo que un trabajo y dinero, aunque no me ha dicho cuánto.

Nate no había esperado eso. Había creído que se trataba de que Carlos quería que Jen volviera al mundo del baile de competición.

–Vayamos por partes. ¿Qué trabajo?

–Un trabajo en la escuela de baile del mercado que vosotros habéis comprado.

–No vamos a tirar de nuestros contactos para que le contraten.

–Si no lo hacéis, va a chantajearme con algo refe-rente al pasado.

–¿Cómo? –preguntó Nate.

Jen se mordió el labio inferior y apartó el rostro de él.

–No es fácil decirte esto, Nate, pero voy a inten-tarlo. Hace años, cometí el error de tener relaciones con Carlos, cuando él era juez de la Federación In-ternacional de Baile de Competición. Por eso es por lo que me echaron del tour que estaba haciendo y me prohibieron volver a competir.

–¿Qué?

Ella se rodeó la cintura con los brazos y continuó en voz baja:

–Sé que fue una estupidez, pero jamás le pedí ningún favor ni que hiciera trampa. Creía que tenía-mos mucho en común y que éramos amigos.

Nate la estrechó contra sí, a pesar de que no le gustaba lo que estaba oyendo.

–¿Tuviste relaciones con Carlos?

–Sí. Al verle esta noche, tenía la esperanza de que hubiera venido para ayudarme a limpiar mi nombre.

–Sin embargo, en vez de a eso, ha ido al club a pedirte dinero, ¿es eso?

–Ha dicho que los líderes de la comunidad están en contra del club y que si no le ayudamos conse-guirá haceros daño en lo que al club se refiere.

Nate estaba enfadado. Carlos era un idiota si pensaba que podía intimidar a una empleada del Luna Azul.

–Está bien, te diré lo que vamos a hacer… Justin no es solo un genio de las finanzas, también es abogado, el abogado de la empresa, y es muy bueno. Voy a llamarle y, con su ayuda, vamos a pararle los pies a Carlos.

Jen se apartó de él.

–No quiero que todo el mundo se entere de que tuve relaciones con él.

–A parte de Justin, no veo por qué se va a enterar nadie más –dijo Nate, acordándose de que Justin había ayudado a Cam en el pasado en un caso de acusación falsa de paternidad–. Deja que le llame. Tú no vas a ayudar a Carlos ni a entregarle un solo céntimo, y vamos a conseguir limpiar tu nombre.

–No quiero causar ningún daño al club –dijo ella.

–No lo harás –le aseguró Nate–. ¿Qué plazo te ha dado?

–No me ha dado un plazo. Me ha dicho que me reúna con él en el baile de competición de Hallandale y que entonces le comunique mi decisión.

Eso no les dejaba mucho tiempo.

–Tenemos que reunirnos con Justin lo antes posible y ver qué opina de todo esto. La verdad es que lo primero que se me ocurre es ir a buscar al tal Carlos y darle una paliza de muerte. Me sentiría mucho mejor, aunque no creo que arreglara nada.

Jen le sonrió.

–¿Le pegarías por mí?

–Por supuesto. No me gustan los tipos que amenazan a las mujeres.

Jen se inclinó hacia él y le besó.

–Gracias. Me has enternecido.

–De nada, cielo –contestó Nate–. Y ahora, voy a llamar a Justin.

Jen asintió.

–Si crees que es lo mejor, adelante.

–Creo que es la única solución. Los chantajistas solo se salen con la suya cuando la víctima del chantaje se muestra dispuesta a pagarles. Tenemos que parar esto antes de que escape a nuestro control.

–Estoy de acuerdo. No quiero volver a tener nada que ver con él, no quiero verle nunca más. Estoy harta de que me fastidie.

–No te preocupes, nos encargaremos de ello –le aseguró Nate.

Nate llamó a Justin por el móvil y su hermano contestó a la primera llamada.

–Tenemos que hablar.

–¿Ahora? –preguntó Justin.

–Sí. A Jen acaban de amenazarle y quiero solucionar el tema inmediatamente.

–¿Qué ha pasado? –preguntó Justin.

–¿Podrías venir a mi barco para hablar? –preguntó Nate.

–Sí. Dentro de tres cuartos de hora estaré allí.

–Bien. Jen está conmigo. Gracias, Justin.

–¿Quieres que llame a Cam para contárselo o prefieres hacerlo tú? –preguntó Justin.

–Le llamaré yo –respondió Nate–. Hasta dentro de un rato.

Nate cortó la comunicación y se volvió a Jen.

–Justin se va a reunir con nosotros dentro de cuarenta y cinco minutos en el barco.

–¿A quién más tienes que llamar?

–A Cam –contestó Nate.

–Van a hacerse una mala opinión de mí –comentó ella–. Sé que lo que hice…

–Nadie te va a juzgar, Jen. Carlos te ha chantajeado y ha amenazado al club, y eso no tiene nada que ver con lo que hiciste cuando bailabas.

–Siento haberte puesto en esta situación –dijo Jen–. La relación con Carlos me salió muy cara. No quiero tener que dejar el trabajo en el Luna Azul, pero lo haré si crees que es lo mejor.

–No, no vas a dejar el club, Jen –declaró Nate–. No te preocupes, todo se va a arreglar, ya lo verás.

Jen trató de calmarse mientras esperaban a Cam. Nate le había dado una copa de vino y estaba sentada en la cubierta del barco, contemplando las estrellas, mientras Nate y Justin hablaban. Pronto se reunieron con ella y se sentaron a su lado.

–Cuéntamelo todo, desde el principio –le dijo Justin–. Dime por qué crees que Carlos piensa que te puede chantajear. ¿Qué tiene en contra tuya?

–¿No deberíamos esperar a que venga Cam? No me apetece repetirlo una y otra vez.

–No. A Cam solo le interesará saber qué vamos a hacer –respondió Justin.

Nate se acercó más a ella y le agarró la mano en muestra de apoyo.

–Carlos y yo tuvimos relaciones cuando yo estaba en un tour y él era juez. Pero nunca hablamos de los concursos y él jamás fue juez en ninguno de los que yo participaba.

–¿Cómo empezasteis a tener relaciones? –preguntó Justin.

–¿Qué importancia tiene eso? –preguntó Nate.

–¿Por qué no te vas a llamar a Cam? Está tardando mucho –le dijo Justin a Nate.

–No. Está bien, mantendré la boca cerrada. Pero no la machaques –dijo Nate.

–No es eso lo que estoy haciendo –contestó Justin–. Sigue, Jen.

–Nos conocimos en una clase de baile para niños. El tour patrocina talleres de baile en las ciudades por las que pasa para despertar interés en los niños. Nos pusieron de pareja en unos talleres que duraban cinco días. Después del primer día, me invitó a cenar y descubrimos que teníamos muchas cosas en común.

–¿Cuánto duró vuestra relación?

–Tres semanas –respondió Jen–. Tan pronto como volví a la competición, después de acostarme con él, me di cuenta de que lo que había hecho estaba mal. Se lo dije y, a la semana siguiente, Carlos se presentó delante del comité de jueces para decirles que nos habíamos acostado y que le había seducido con el fin de conseguir una puntuación más favorable.

–¿Y qué hizo el comité?

–Nos suspendió a los dos. A Carlos le bajaron de categoría, de juez internacional pasó a juez regional. Yo creía que podíamos presentar un recurso conjunto, y fui a hablar con él para pedirle que se retractara y que intercediera por mí… creía que era por eso por lo que había venido al club esta noche.

–Pero no es ese el caso –interpuso Nate–. Quiere que Jen le ayude.

–Deja que lo cuente ella –dijo Justin a Nate–. ¿Qué es lo que quiere de ti?

–No lo ha dicho. En realidad, se supone que tengo que reunirme con él dentro de dos días para comunicarle mi decisión. Quiere un trabajo en la escuela de baile de vuestro mercado. Quiero que yo os presione para que le recomendéis. Ha insinuado que si no le ayudo nos pedirá dinero a cambio.

–¿Con qué ha amenazado? –preguntó Justin.

–Ha amenazado con dañar la reputación del club en el vecindario. Si no le ayudo o no le doy dinero, va a darle mala publicidad al club.

–De acuerdo –dijo Justin–. Necesito pensar qué vamos a hacer. Dime, Jen, ¿sabe alguien más lo de vuestras relaciones?

–Mi compañero de baile, Ivan.

–¿Os vio juntos alguna vez? –preguntó Justin.

–Una noche que Carlos me invitó, cenó con nosotros.

–¿Por qué no le pediste a Ivan que atestiguara en tu favor? –le preguntó Justin.

–Lo hice. Y escribió una carta, pero le dijeron que, como era mi pareja de baile, su testimonio no era fiable –respondió Jen–. Ivan estaba muy disgustado porque, al suspenderme a mí, se quedó sin pareja. Esa fue otra razón por la que el comité no admitió que testificara, dijeron que lo más posible era que mintiera con el fin de continuar en la competición.

Justin asintió.

–Pero los tribunales de justicia son distintos. Voy a necesitar que Ivan testifique por escrito. ¿Crees que lo hará?

–Sí, estoy segura de ello –respondió Jen.

–También quiero hablar con todos los implicados en el taller de baile en el que participaste.

–Te puedo dar una lista con los nombres, pero solo disponemos de dos días –contestó ella.

–Esto no nos va a llevar nada de tiempo. Me gustaría hablar con la policía para tenderle una trampa y hacer que arresten a Carlos por intento de chantaje.

Jen se recostó en el asiento y lanzó una rápida mira a Nate.

–¿Qué opinas tú de eso?

–Creo que es perfecto. Acabaremos con Carlos y limpiaremos tu nombre.

–Exacto –añadió Justin–. Una vez que llegue Cam, quiero ver si está dispuesto a dejarnos poner el cebo para atrapar a Carlos en el club. Así lo controlaremos mucho mejor.

–¿Controlar, qué? –preguntó Jen.

–Alguien que sea testigo de que te está amenazando –contestó Justin.

–¿Quién está amenazando a Jen? –preguntó Cam, apareciendo de repente.

–Carlos Antonio. Y también ha amenazado al club –contestó Justin–. Voy a ponerte al corriente de lo que pasa.

–Ven conmigo a la cocina, necesito una copa –dijo Cam a Justin–. Nate, no te importa, ¿verdad?

–No, en absoluto.

Los hermanos de Nate desaparecieron en el interior del barco y ella le miró fijamente.

–Gracias por todo lo que estás haciendo por mí.

Capítulo Once

Una vez que se quedó a solas con él, Jen no sabía qué decir. Después de esbozar un plan que requería que ella llamara a Carlos al día siguiente por la mañana, los hermanos de Nate se habían ido. Pasaban unos minutos de las dos de la madrugada y Nate no daba muestras de cansancio.

—¿Quieres pasar la noche aquí, en el barco, o prefieres que te lleve a tu casa?

—Me gustaría quedarme contigo esta noche —contestó Jen.

—A mí también —contestó Nate, ofreciéndole otra copa de vino—. ¿Has llamado a tu hermana para contarle lo que pasa?

—No, era muy tarde ya. Aunque le he enviado un mensaje para decirle dónde estoy y evitar que se preocupe.

—Mis hermanos se enfadarían si me pasara algo y no se lo dijera —comentó Nate.

—Mi hermana también, pero justo en este momento no puede hacer nada y necesita dormir. Mañana se va a enfrentar al padre de Riley en un juicio. Y cada vez que se enfrenta a él, intenta hacer lo posible por ganar el juicio.

Nate sacudió la cabeza.

–Lo entiendo. Debe ser duro para ella estar viéndole constantemente.

Jen asintió.

–Y lo peor es que él sigue queriendo estar con ella, lo que le pasa es que no quiere ser padre. Es difícil de entender, ¿no te parece?

–Sí, claro que me parece –contestó Nate.

–Hablando de otra cosa, ¿te ha llamado Hutch para lo de la fiesta del aniversario?

–Sí. Va a venir este fin de semana, así que ya le conocerás y podrás hablar con él.

–Se me han ocurrido algunas cosas que creo que le gustarán. He estado oyendo su música.

–Bien. Pero Jen… no tenemos que hablar del club –le dijo Nate.

–Perdona. Solo quería que supieras que, a pesar de estos problemas que tengo, quiero hacer mi trabajo bien.

Nate se acercó a ella y le besó la frente.

–Lo sé.

–Ha sido un día muy raro. No se me había pasado por la cabeza que Carlos pudiera presentarse en el club.

Nate bebió otro sorbo de vino y, después, se tumbó en el banco; a continuación, la hizo tumbarse a su lado.

–¿Estás cómoda?

–Sí.

–Bien. Y volviendo a lo que has dicho, es difícil saber cómo va a reaccionar la gente. A mí me pasó algo parecido con Daisy.

Jen alzó la cabeza ligeramente y le lanzó una significativa mirada.

–Daisy era mi prometida.

–No sabía que hubieras estado casado...

–No llegamos a casarnos. Daisy quería un jugador de los Yankees que no estuviera lesionado; por eso, cuando me lesioné, se fue con otro.

Jen sacudió la cabeza.

–Estás mejor sin ella, Nate. No te merecía.

Nate sonrió y la abrazó.

–No, no me merecía, pero me costó comprenderlo. Casi todos pasamos por tener relaciones así.

Jen se quedó pensativa. Incluso Marcia, con lo inteligente que era, se había enamorado de un tipo que no era como había creído que era.

–¿Por qué lo hacemos?

–No sé, aunque tengo una teoría. Que conocemos a esa gente cuando los necesitamos en nuestras vidas. En lo que a mí se refiere, necesitaba a Daisy cuando empecé a jugar porque ella me daba un motivo para que el béisbol no me absorbiera por completo. Me enseñó a relajarme y a disfrutar la vida.

Jen pensó en Carlos.

–Carlos hizo que viera lo que podía ser mi vida después de dejar el baile.

–Pero no has acabado de profesora de niños –dijo Nate.

–No, he acabado de profesora de baile de ricos y famosos, no muy diferentes a los niños.

–Vaya, creo que se lo diré a Hutch cuando vaya a recogerle al aeropuerto.

–No, por favor, no se lo digas. No creo que quisiera trabajar conmigo si se enterase de que le he llamado niño.

Nate se echó a reír.

–Le hará gracia. Hutch es un buen tipo, no se toma a sí mismo demasiado en serio.

–¿Cómo le conociste?

–Le conocí cuando éramos pequeños, pero dejemos eso –dijo Nate.

–No, sigue hablando, por favor. Lo de Carlos me ha dejado muy deprimida, me gustaría que me contaras cosas.

–De acuerdo.

Abrazándola y acariciándole el cabello, Nate le habló de Hutch Damien y del internado, y de los líos en los que se metieron juntos. Y ella se lo agradeció.

Nate llevó a Jen a la cama y luego volvió a cubierta. Necesitaba estar solo un rato y pensar. Le preocupaba haber pensado en serio tener una confrontación física con Carlos.

–¿Nate?

Al volverse, vio a Jen apoyada en el marco de la puerta, con el cabello suelto, mirándole.

–¿Sí?

–¿Por qué no vienes a la cama? –le preguntó ella al tiempo que se le acercaba.

–No podía dormir y no quería molestarte –contestó Nate.

–Por eso precisamente es por lo que yo tampoco podía dormir. Me gusta que me rodeen tus brazos, Nate, me he acostumbrado a estar contigo.

Nate quería aconsejarle que no se apoyara en él. Que cuánto más sentían el uno por el otro, más miedo le daba no poder satisfacer las expectativas de ella.

Pero no le dijo nada porque Jen eligió ese momento para abrazarle.

–¿Te apetece bailar conmigo a luz de la luna?

–No hay música –contestó Nate.

–Da igual, cantaré yo.

–¿Sabes cantar?

–Más o menos.

Nate lanzó una queda carcajada.

–Por si no lo sabías, tengo un equipo de música en el barco. ¿Qué música que apetece que ponga?

–¿Cuál es tu canción preferida? –le preguntó.

–Me encanta Dean Martin. Y sus canciones son perfectas para tener a una mujer en los brazos. Me gusta mucho *Shine a Little Love*, de ELO.

–Jeff Lyne es el mejor. Pon algo de ELO para bailar.

–¿Ahora?

–Sí. Necesitamos algo que haga que nos olvidemos de todo. Ahí radica el poder del baile. Y Jen comenzó a mover las caderas, tirando de él.

Le acariciaba con cada movimiento que hacía, y él se sintió muy unido a ella.

Cuando la canción terminó, Jen le agarró una mano.

–Y ahora, vamos a bailar lento.

Nate sintió las manos de ella debajo de la camisa; después, en la espalda. La sintió pegada a su cuerpo, moviéndose al ritmo de la brisa y del suave balanceo del barco.

Y en ese momento Nate supo que con quien quería estar era con ella. A pesar de los problemas y de las complicaciones que Jen le había acarreado, enriquecía su vida y le daba algo que jamás había creído poder encontrar.

–Gracias –dijo Nate–. Por esta noche. Por bailar conmigo, aunque tienes motivos para no fiarte de ningún hombre después de lo que te ha hecho Carlos.

Jen se puso de puntillas y le besó. Después, apoyó la cabeza en su hombro.

–Es fácil confiar en ti.

Nate no quería defraudarle, pero tenía miedo de no ser el hombre que Jen necesitaba.

Sin embargo, dejó de pensar en eso, la levantó en sus brazos, la llevó a su habitación y la tumbó en la cama.

–¿Cansado de bailar? –le preguntó Jen.

–No. Pero quiero hacer el amor contigo.

–Me alegro.

La desnudó y se desnudó con lentitud. Le besó el cuerpo entero y la excitó hasta hacerla suplicarle que la penetrara. Estaba deseando poseerla, pero quería saborear el momento, procurar a ambos un extremo placer.

Y lo logró.

Cuando, por fin, la penetró, Jen alcanzó el orgasmo casi al momento y él unos pocos segundos después. Temió no poder recuperarse nunca, había sido muy intenso. Y abrazados, se sumieron en un profundo sueño.

Al día siguiente, mientras esperaba a Carlos en la sala principal del club, Jen estaba sumamente nerviosa. Lo habían planeado todo y sabía que ella solo debía limitarse a dejar que Carlos hablara. Nate, Justin y Cam estaban muy cerca, acompañados de dos de los mejores detectives de Miami. Gracias al diseño del techo, si uno estaba en un extremo de la sala, se podía oír claramente lo que alguien decía desde el lado opuesto. Seguía el mismo principio que la galería de los susurros de la catedral de St. Paul, en Londres.

La puerta se abrió y Carlos hizo su aparición. Se acercó a ella con paso decidido.

–Ya veo que has cambiado de opinión –dijo Carlos a modo de saludo.

–No, lo que pasa es que no estoy segura de haber entendido bien lo que me dijiste la otra noche. La música estaba demasiado alta.

–Vamos, no me vengas con esas. Sabes perfectamente lo que dije. Si no aceptas mis condiciones, les hablaré a tus jefes de tu pasado y, además, os echaré la culpa, a ti y al club, de no poder trabajar como profesor en la Pequeña Habana.

–¿Qué condiciones son esas?

–Ya que no pareces dispuesta, o no puedes, ayudarme a conseguir un trabajo de profesor en la escuela de baile, me conformaré con cien mil dólares.

–¿Qué? Yo no tengo ese dinero.

–No, pero tus jefes sí lo tienen. Y se rumorea que estás saliendo con uno de ellos… con Nate. Aunque la otra noche, cuando vine, debería haberme dado cuenta de inmediato.

–Eso es una locura, Carlos. No voy a poder convencer a Nate de que me dé ese dinero.

–Espero que lo hagas –dijo Carlos–. Por tu culpa perdí mi trabajo y mi reputación se vio dañada, Jen.

–Eso no es verdad. Tú tienes la culpa de la mala fama que te has ganado. Fuiste tú quien me invitó a salir y, sin embargo, fui yo quien cargó con toda la culpa.

–La junta directiva decidió que yo también había actuado mal. Me rebajaron de categoría, limitándome a los circuitos regionales. Yo no estoy hecho para vivir en Indiana, Jen.

–Lo siento –respondió ella con sinceridad.

–¿Y si pudiera ayudarte a conseguir un trabajo de profesor aquí?

–Es demasiado tarde. No quiero dar clases de baile. Espero que me entregues el dinero mañana.

–Intentaré…

–Jen, no lo estropees, o lo sentirás.

Jen sacudió la cabeza. Carlos se dio media vuelta y se alejó. Tan pronto como hubo salido del club, Nate y los otros se acercaron a ella.

–Has estado estupenda –dijo Justin.

–¿Con lo que ha pasado se le puede arrestar ya? –preguntó Jen.

–No, no es suficiente. Tenemos que atraparle agarrando el dinero –dijo el detective Elder.

–Yo no tengo tanto dinero –interpuso Jen.

–Pero nosotros sí –respondió Cam–. La policía le detendrá tan pronto como tome el dinero de tus manos.

–Estupendo –dijo ella. Quería que Carlos fuera a la cárcel–. Así que… ¿lo haremos mañana?

–Sí. Yo me encargaré del dinero –declaró Cam.

Cam y Justin se quedaron con los detectives mientras Nate y ella volvían a la sala de ensayos.

–¿Cómo te encuentras? –le preguntó Nate cuando se quedaron solos.

–Bien –respondió Jen, no quería hablar de lo mucho que le molestaba estar pagando aún por la equivocación de tener relaciones con Carlos.

–Intenta no preocuparte. Le agarraremos, te lo prometo. Al oírle hablarte como lo ha hecho… No sé, me han dado ganas de estrangularle.

Jen sonrió.

–¿Por qué sonríes? –preguntó Nate.

–Porque haces que me sienta protegida –admitió Jen.

–Sabes que puedes contar conmigo para lo que sea –contestó Nate.

–Lo sé. Aunque siento mucho que, por mi culpa, os veáis metidos en esto.

–No lo sientas. Y nunca habría dejado que te enfrentaras a esto tú sola.

–Gracias –respondió Jen–. Bueno, dime, ¿qué vas a hacer hoy?

–Tengo el torneo de golf de famosos –respondió Nate–. ¿Vas a tener tiempo de cenar conmigo esta noche?

–No, no puedo. Alison y yo vamos a estar con los bailarines del espectáculo para ensayar unos bailes nuevos.

–Bueno, intentaré venir al espectáculo esta noche.

–Me encantaría –dijo ella.

Cuando Nate se marchó, tras acompañarla a la sala de ensayos, Jen cerró los ojos. La noche anterior había estado a punto de confesarle que le amaba. Sin embargo, no sabía si había llegado el momento de decírselo o si, por el contrario, ese momento no se presentaría nunca.

–Has venido pronto hoy –dijo Alison, entrando en ese momento.

–No podía permitir que me ganaras siempre.

Alison se echó a reír y continuaron bromeando mientras calentaban antes de la clase.

–Pareces de muy buen humor.

–Sí, lo estoy. La vida me va bien en este momento –respondió Jen.

–A mí también. Hoy he hablado con mi hermano.

–¿Cuándo se va a embarcar?

–Dentro de una semana. Vamos a hacer una fiesta en la casa de la playa este fin de semana. ¿Quieres venir?

—Es posible. ¿Podría ir acompañada?

—Sí, claro. ¿A quién quieres llevar?

—Estoy saliendo con un tipo —Jen no quería confesar que estaba saliendo con Nate Stern. Hasta el momento, llevaban la relación con suma discreción.

—Bueno, cuando sepas si vienes o no, dímelo.

—Lo haré.

Pasaron un rato repasando pasos de baile y también se grabaron en vídeo para que Ty y Janna se hicieran una idea de su estilo de baile.

Durante todo el tiempo, Jen intentó centrarse en el trabajo y no pensar en el hombre del que se estaba enamorando irremediablemente.

Capítulo Doce

Al día siguiente, Nate se quedó fuera mientras, en el club, Jen entregaba el dinero a Carlos. Sabía que, dentro, quizá no consiguiera contenerse y la tentación de darle una paliza a Carlos podría con él.

Esperó en el coche hasta que la policía se llevó a Carlos. Todo había acabado. Ya no tenía que preocuparse de que le ocurriera nada a Jen.

Entró rápidamente en el club y enseguida la vio. Jen estaba visiblemente nerviosa y quiso rodearla con los brazos, pero delante de sus empleados y de los compañeros de trabajo de Jen no podía hacerlo. Por lo tanto, la llevó a su casa.

–¿Quieres que te cuente cómo ha sido? –le preguntó Jen tan pronto como entraron en el ático.

–No, no quiero. Me alegro de que le hayan detenido y espero no volver a verle nunca.

–Lo mismo digo. Gracias.

–Dáselas a Justin, es él quien se ha encargado de este asunto –contestó Nate–. Vamos, siéntate, voy a servir un par de copas.

–Agua mineral con gas para mí. Tengo que ir a recoger a Riley a la salida del colegio.

Nate preparó las bebidas, ambas sin alcohol, y se sentó al lado de Jen en el sofá de cuero.

–¿Por qué tienes que ir a recogerle?

–Marcia tiene una cita con unos clientes y la niñera de Riley no está disponible.

Maldición. Había esperado estar con ella hasta por la tarde, cuando entraran a trabajar, se había olvidado de que Jen tenía familia. Y un estilo de vida que no tenía nada que ver con el suyo.

–Quieres venir conmigo? A Riley le encantaría enseñarte sus progresos con el béisbol. En el colegio, ha estado presumiendo de conocerte y de que has sido tú quien le ha estado enseñando.

–¿Sí?

–Sí, habla mucho de ti. Marcia siente la ausencia de un hombre en nuestras vidas.

–Yo… no puedo acompañarte –contestó Nate.

No era un hombre familiar y había llegado el momento de que Jen lo reconociera.

–De acuerdo. ¿Estás libre el sábado?

–¿Para?

–Una fiesta. Alison está preparando una fiesta de despedida para su hermano en la playa, tiene una casa en Maratón Key. A su hermano le envían al Oriente Medio.

–¿Alison, la del club? –preguntó Nate.

–Sí. Mi ayudante.

–Sí, me gustaría ir. Ya me dirás a qué hora.

–Alison tiene el sábado libre, así que estará allí todo el día.

–Podríamos ir hasta allí en el barco –sugirió Nate.

–Estupendo. ¿Te importaría que vinieran también Marcia y Riley? –le preguntó Jen.

–Sinceramente, no me apetece ir con toda tu familia –contestó él con honestidad.

La familia de Jen le hacía sentirse incómodo, le hacía querer ser un hombre diferente, la clase de hombre que pudiera ofrecerle a Jen lo que ella quería, una familia propia.

Jen sacudió la cabeza.

–Está bien. Aunque no sabía que mi familia fuera tan difícil de llevar –comentó ella.

Se hizo un incómodo silencio y, al cabo de unos minutos, Jen se marchó para ir a recoger a su sobrino al colegio.

El sábado, de vuelta en el yate de Nate después de un día muy divertido, pero de mucho ajetreo, Jen estaba tumbada con la cabeza apoyada en los muslos de Nate. Se encontraban en la sala de estar del barco, delante de la pantalla de plasma de televisión. Nate estaba viendo el resumen de un partido de béisbol y ella descansaba.

–Gracias, lo he pasado muy bien –dijo ella.

En realidad, lo pasaba muy bien siempre que estaba con Nate. Y cada vez le resultaba más difícil no confesarle que le amaba.

–Sí, ha sido un día muy divertido. No sabía que tu hermana iba a estar también en la fiesta.

–Sí, es amiga de Alison. Gracias por llevarles a casa en el barco después de la fiesta, a pesar de que te sientes incómodo con ellos. A Riley le ha encantado.

—No ha sido nada.

—Ha sido mucho para Riley… y para Marcia.

—No sé, tengo la impresión de que no le caigo muy bien a tu hermana.

Jen lo sabía.

—Lo que pasa es que Marcia tiene miedo de que sufra —contestó ella.

Nate apagó el televisor. Después de lo de Carlos, comprendía que a Marcia le preocupara que alguien le hiciera daño a Jen. Y dado que él era consciente de los esfuerzos que estaba haciendo por evitar encariñarse demasiado con Jen, reconocía que a Marcia quizá no le faltasen motivos de preocupación.

—¿Cómo podría yo hacerte sufrir?

—Pasamos mucho tiempo juntos, no tengo miedo a que tengas relaciones con otras mujeres a mis espaldas —contestó ella—. Además, te conozco lo suficiente para saber que, si te hubieras cansado de mí, me lo habrías dicho.

—Sí, así es. Todavía no sé qué es lo que hay entre nosotros, Jen. Esperaba que nos cansáramos el uno del otro, pero está ocurriendo todo lo contrario.

Las palabras de él le animaron y se dio cuenta de que iba a tener que confesarle lo que sentía por él. Decirle que le amaba. Y tenía el presentimiento de que Nate le iba a confesar su amor también.

—Eso es lo que me pasa a mí también, Nate. Cuando me despierto por las mañanas, no hago más que pensar en el momento en el que nos vamos a ver. Y cuando te veo…

Nate la abrazó. Le susurró algo al oído que ella no logró comprender.

–¿Qué?

–A veces, siento una necesidad imperiosa de verte –declaró Nate–. Y saco tiempo de donde sea para estar contigo, aunque solo sean unos minutos.

Ella le sonrió.

–Llevo todo el día pensando en nosotros, Nate –dijo Jen haciendo acopio de valor–. Creo que podríamos formar una familia.

–Yo no estoy preparado para formar una familia, Jen –respondió él.

–Lo sé, lo sé –y lo sabía.

Sabía que lo más que Nate podía ofrecerle era exclusividad en su relación, nada más.

Nate le besó suavemente la frente.

–Nate, no sé si estás listo para oír lo que voy a decir, pero…

«Te quiero», dijo en silencio. «Te quiero». ¿Por qué tenía que ser tan difícil pronunciar esas palabras en voz alta? No se iba a presentar mejor momento que el presente.

–¿Sí? –le instó él.

–Te…te quiero –dijo Jen con voz queda.

Los ojos de Nate se agrandaron.

–¿Qué has dicho?

–Que te quiero. Eres el hombre de mi vida. Estar contigo ha hecho que me sienta completa. No era consciente de lo que me faltaba en la vida hasta que te he conocido.

Jen respiró hondo y continuó:

–Sé que puede que no estés preparado para oír lo que te estoy diciendo, pero no podía seguir callada ni un segundo más. Llevo ya tiempo enamorada de ti –confesó Jen.

Nate continuó rodeándola con los brazos y le permitió hablar, pero no dijo nada. Ella tenía miedo de haber cometido un grave error; pero entonces, Nate la estrechó contra sí.

–Jen, no puedo expresar con palabras lo mucho que significas para mí –susurró él.

Entonces, le cubrió los labios con los suyos y ella sintió en el beso todo lo que Nate no le había dicho.

Nate no quería pensar en el amor ni en lo mucho que la confesión de Jen le había asustado. Cada día que pasaba con ella… No, no quería pensar en ello. Por eso, decidió hacer lo que mejor se le daba: hacer el amor con ella.

Agarró el bajo de la camiseta de Jen y se la quitó. Jen se sentó encima de él, a horcajadas; y él, apoyando la cabeza en unos cojines, se quedó mirándole los pechos, aprisionados en las copas del sujetador.

–Tienes un cuerpo precioso, cielo. No consigo cansarme de acariciarte –dijo Nate.

–Me alegro de que te guste –respondió Jen sonriendo–. A mí también me gusta tu cuerpo. ¿Te importaría quitarte la camisa?

Nate obedeció y, al instante, Jen comenzó a acariciarle el pecho.

–Me encanta tocarte.

–¿Sí? –preguntó él mientras le quitaba el sujetador.

–Si, me encanta –repitió Jen, y bajó el cuerpo para acariciarle el vello del pecho con los pezones.

Nate tembló. Jen se frotó contra su cuerpo cuando él la besó. Y dejó que fuera Jen quien impusiera el ritmo aquella noche.

–Te deseo, Nate. Quiero sentir el vello de tu pecho con mis pechos. Te quiero dentro de mí y quiero estar unida a ti, quiero pertenecerte por entero.

Nate también lo quería. Le puso las manos en la cintura y la alzó ligeramente para acabar de desnudarse.

Jen también se desnudó rápidamente.

Al cabo de unos momentos, ya desnudos, Nate se la sentó encima, a horcajadas, y dejó que el húmedo calor de la feminidad de Jen le frotara el endurecido miembro.

–Necesito estar dentro de ti –dijo Nate.

–Creía que querías esperar –bromeó Jen.

–No. Eres una tentación irresistible.

–Estupendo. Quiero ser la mujer que consigue hacerte perder el control –dijo ella.

Y lo conseguía. Jen era la única mujer con la que no podía controlarse. Quizá fuera por eso por lo que la amaba.

¡Maldición! ¿La amaba? ¿A pesar de los esfuerzos que estaba haciendo por evitarlo? No quería hacerle daño a Jen, pero sabía que también estaba tratando de protegerse a sí mismo.

No sabía cómo amar a una mujer, si se exceptuaba lo que estaba haciendo. Por eso, bajó la mano, la tocó y la encontró mojada y a la espera. Entonces, la penetró, y Jen, echando la cabeza hacia atrás, gimió.

–Nate...

Nate se movió en el cuerpo de ella, con frenesí. Jen le agarró los hombros y le hincó las uñas mientras temblaba con los espasmos del orgasmo, y él eyaculó.

En mitad de la noche, Nate despertó a Jen y le volvió a hacer el amor.

Y por la mañana, cuando la dejó, después de llevarla a su casa, reconoció que iba a tener que hacer una de dos cosas: o superar el miedo a comprometerse con Jen, o aprender a vivir sin ella.

Capítulo Trece

Jen no se dio cuenta de que Nate no le había dicho que la amaba hasta dos días después, cuando notó que la estaba evitando. No le había vuelto a ver desde la noche en el barco y estaba preocupada.

Dejó de pensar en Nate y volvió a centrarse en el trabajo. Estaba con un grupo de bailarines del barrio, ensayando unos bailes que iban a realizar con Ty y Janna. El grupo era bueno y algunos bailarines mostraban un gran talento.

–Volvamos otra vez al principio.

La música empezó a sonar otra vez y, desde un extremo de la sala de ensayos, sentada, Jen les observó detenidamente, fijándose en los errores para corregirlos.

Sin embargo, no tenía la cabeza para eso en aquel momento, no lograba dejar de pensar en Nate. No sabía qué hacer, solo sabía que no podía permitir que la relación fuera muriendo por sí sola. Iba a enfrentarse a Nate y, si él quería acabar, tendría que decírselo a la cara. Necesitaba a Nate. Le amaba y no iba a permitir que la dejara sin luchar por él.

Jen paró la música y dijo:

–Los del fondo, quiero ver más pasión en lo que hacéis. Empecemos de nuevo.

Los bailarines comenzaron una vez más; esta vez, con más entusiasmo. Cuando dieron por finalizada la sesión, vio a Cam apoyado en el marco de la puerta.

—¿Tienes un momento, Jen? —le preguntó él.

—Sí. ¿Qué pasa?

—Verás… me encuentro en una situación bastante difícil.

Jen sintió una súbita angustia. ¿Había enviado Nate a su hermano para que se deshiciera de ella?

—Dime lo que sea, no te andes con rodeos. Creo que sé lo que me vas a decir.

Cam se adentró en la estancia.

—Lo dudo. ¿Conoces a Russell Holloway?

—¿El multimillonario de Nueva Zelanda? No, no me muevo en ese mundo.

—Quiere tú número —dijo Cam.

—El único hombre que me interesa es Nate. Dile que gracias, pero que lo siento mucho.

—No, Jen, no es porque quiera salir contigo —le explicó Cam—. Lo que quiere es contratarte. Por cierto, ¿te pasa algo?

Jen se sintió como una estúpida. ¿Cómo se le había ocurrido pensar eso?

—Estoy cansada.

—Con esto de los preparativos para la fiesta del décimo aniversario, trabajas sin parar. Te lo agradezco mucho, pero debes tomártelo con más tranquilidad y descansar.

—No voy a parar. Dime, ¿por qué crees que Russell Holloway quiere contratarme? —preguntó ella.

–Me ha dicho que quiere que vayas a trabajar para él. Ha oído que eres muy buena bailarina y quiere montar espectáculos en sus clubs.

–Los Kiwi Klubs son famosos en el mundo entero. Todo el mundo los conoce.

–Sí, lo sé. Sería un paso adelante en tu carrera profesional... supongo.

–¿No estás contento conmigo? –preguntó ella.

–Claro que lo estoy –respondió Cam–. Pero es una buena oportunidad para ti y no me parecía bien no decírtelo.

–No quiero dejar el Luna Azul –declaró Jen–. Y menos después de todo lo que tú y tus hermanos habéis hecho por mí.

Cam le dio una tarjeta de visita.

–Decide lo que sea mejor para ti, que es justo lo que hicimos cuando te apoyamos en el asunto con Carlos. Llama a Holloway y, después de hablar con él y ver qué te ofrece, puede que te igualemos su oferta.

Cam se marchó unos minutos después y Jen se sentó en un taburete al fondo de la sala de ensayos. No le apetecía estar todo el tiempo viajando y trabajar de coreógrafa en los Kiwi Klubs, pero no estaría de más llamar a ese hombre. Sobre todo, ahora que la relación con Nate no parecía ir bien.

Necesitaba tener alternativas. Trabajar en el Luna Azul era lo mejor que le había pasado nunca. Pero sabía que, si Nate y ella rompían, no podría seguir allí.

***

Nate estaba teniendo un mal día, por lo que se encontraba de mal humor cuando llegó al club y entró en el despacho de Cam.

–¿Qué pasa?

–Quería hablarte de Jen. Pero… ¿qué es lo que te pasa?

Nate frunció el ceño.

–Me han puesto una multa por pasar del límite de velocidad con el coche. Lori O´Neil ha dicho que, si no salgo con ella esta noche, va a dejar de mencionar el club en su blog de famosos. Y, para colmo, tengo que ir a Nueva York para unos anuncios publicitarios.

–Te compadezco. Debe ser terrible tener que salir con una mujer tan guapa y aparecer en televisión.

Nate lanzó una furiosa mirada a su hermano.

–No empieces. Y no me digas que mi vida es un lecho de rosas y que no tengo motivos para quejarme.

Cam se encogió de hombros.

–Está bien, no lo haré.

Nate se dejó caer en uno de los butacones de cuero del despacho de su hermano. En una de las paredes había un retrato al óleo de un adolescente Cam enfundado en un esmoquin.

–¿Nunca te has preguntado por qué papá hizo que nos pintaran a los tres así? –preguntó Nate.

–Supongo que porque quería que se lo dejáramos en herencia a nuestros hijos.

–¿Has pensado alguna vez en formar un hogar?

–preguntó Nate a su hermano. La idea de formar su propio hogar no dejaba de rondarle por la cabeza últimamente–. Yo siempre he pensado que nosotros tres no estábamos hechos para el matrimonio.

Cam se encogió de hombros.

–A mí me pasa lo mismo. Los negocios me parecen mucho más sencillos que las mujeres.

Nate se echó a reír.

–Dímelo a mí. ¿Con quién estás saliendo ahora?

–Eso no es asunto tuyo.

–¿Un amor secreto?

–No. Y no es amor, sino sexo.

¿Era eso lo que había entre Jen y él también? ¿Era solo sexo?

–¿Has estado alguna vez enamorado, Cam?

–Una vez –admitió su hermano–. Pero fue hace mucho tiempo, era muy joven.

–¿Cómo era?

Cam se lo quedó mirando con las cejas arqueadas.

–Ya sé que es una pregunta tonta, pero es que no sé realmente qué es el amor. ¿Cómo se sabe si uno está o no enamorado de una mujer?

Cam se recostó en el respaldo de su asiento.

–No tengo ni idea, Nate. Ojalá pudiera contestarte, pero no puedo. Las mujeres me resultan muy complicadas.

–No me estás ayudando mucho –comentó Nate.

–Lo sé. Lo siento.

Nate reflexionó sobre el hecho de que Cam, que era muy inteligente y estaba muy seguro de sí mismo, parecía perdido en lo tocante al amor. ¿Significaba eso que ni sus hermanos ni él estaban hechos para el amor?

–Hablando de las mujeres... Russell Holloway me ha llamado esta mañana para pedirme el teléfono de Jen.

–¿Por qué? –preguntó Nate, quedándose muy quieto.

–Ha oído hablar muy bien de ella y quiere ofrecerle un trabajo.

–Espero que le hayas dicho que se olvide del asunto.

Cam sacudió la cabeza.

–Yo no podía hacer eso. Le he dado a Jen el mensaje y el teléfono de Holloway. El resto, es cosa de Jen.

Nate no estaba de acuerdo con su hermano, pero se calló. De todos modos, tenía que hablar con Jen, sabía que la había estado esquivando desde que ella le confesara su amor.

–¿Qué te pasa? –le preguntó Cam.

–No quiero que Jen se vaya a trabajar para Russell –contestó Nate.

–Pues díselo a Jen. No sé mucho sobre el amor, pero sé que a las mujeres les gusta hablar sobre las relaciones.

–No sé qué decirle –confesó Nate.

–¿Qué es lo que quieres que Jen haga? –le preguntó su hermano.

Nate quería que Jen se quedara en el club, pero decírselo a ella significaría exponerse, mostrar su vulnerabilidad delante de ella.

En realidad, se trataba de un juego de poder. Y había oído que, en una relación, el poder lo tenía el que le daba menos importancia a la relación. Estaba convencido de ello, porque, en su relación, Jen tenía todo el poder. Y eso era lo que le asustaba, el hecho de que iba a cederle todo el poder a Jen si admitía lo mucho que ella significaba para él.

Y para un hombre como él, era algo como dejar de respirar. Era inconcebible.

—No sé —contestó Nate por fin—. Quiero que se quede, pero no sé cómo decírselo.

—Cuando decidas lo que vas a hacer, dímelo —dijo Cam asintiendo—. Yo quiero que Jen se quede, por ti, Nate. Si quieres estar con Jen, no permitas que se vaya.

—¿No te preocupa también el club? Es una buena bailarina.

—No es la única buena bailarina en el sur de Florida, hermano. Pero para ti es la única.

Nate sabía que su hermano había dado en el clavo. Le preocupaba no saber lo que Jen iba a hacer, por eso le envió un mensaje al móvil para quedar, en el parque donde habían llevado a Riley a jugar al béisbol. Era hora de averiguar qué era lo que Jen estaba pensando hacer con su vida.

Jen estaba cenando temprano con Riley y Marcia cuando recibió el mensaje de Nate. Riley acabó de cenar y, tras pedir permiso, se bajó de la silla y se fue a jugar al cuarto de estar.

—¿Quién era? —le preguntó Marcia una vez que se quedaron solas.

—Nate.

—¿Qué quiere?

—Hablar, supongo. ¿Por qué sigues sin fiarte de él? —le preguntó a su hermana.

—Me parece que tú tampoco te fías de él. Hace días que no sabes nada de Nate. ¿Ha pasado algo?

—No lo sé. ¿Te puedo preguntar una cosa? No se trata de Nate.

—Sí, claro, pregunta —respondió Marcia.

—Cam ha dicho que Russell Holloway quiere hablar conmigo. Al parecer, está pensando en ofrecerme trabajo en sus Kiwi Klubs.

—¿Qué tipo de trabajo? —inquirió su hermana.

—La misma clase de trabajo que hago en el Luna Azul, excepto que tendría que viajar por todo el mundo. Imagino que lo que quiere es que prepare espectáculos en cada club que encajen en el entorno, apropiados para cada emplazamiento, y que prepare profesores de baile para cada club.

Jen no había dejado de pensar en ello y aún no había decidido si llamar a Russell Holloway o no.

—¿Quiere que vayas a vivir a Nueva Zelanda?

—No lo sé. Pero me gusta vivir aquí, con Riley y contigo.

Marcia lanzó un suspiro antes de adoptar la expresión de hermana mayor.

—Tienes que hablar con ese hombre, tienes que averiguar lo que te quiere proponer con el fin de tomar una decisión.

–Está bien, hablaré con él. Pero ¿y nuestra familia?

–Jen, siempre seremos de la familia, al margen de donde vivas. De hecho, aunque te quedes aquí, lo más probable es que te vayas a vivir por tu cuenta. Así que decide sin contar con Riley y conmigo.

Jen sacudió la cabeza.

–Es todo muy complicado.

–Es la vida y la vida es complicada –dijo Marcia–. Ojalá pudiera decirte qué hacer, pero no puedo. Jen, tienes que decidir por ti misma.

–Lo sé. Lo que pasa es que no estoy segura de lo que quiero.

–Hasta que no hables con él, ni siquiera sabes lo que él te va a ofrecer.

–Eso es verdad –admitió Jen–. Está bien, le llamaré. Pero, aunque decidiera trabajar para él, no podría empezar hasta después de la fiesta del décimo aniversario del Luna Azul. Cuentan conmigo y…

–Deja de poner disculpas. Si no quieres llamarle, no lo hagas –le interrumpió su hermana–. Pero, cuando tomes una decisión, piensa en ti misma, no en Riley o en mí, ni siquiera en Nate. Si Nate te quisiera, te seguiría adonde fuera.

–¿Cómo puedo saber si me quiere o no? –le preguntó a Marcia.

–¿Le has dicho tú que le quieres? –le preguntó su hermana.

–Sí.

–¿Y?

–No ha dicho nada. Me dijo que gracias, que soy muy importante para él y que soy muy bonita.

–¡Oh, cielo! La verdad es que no sé… ¿Qué es lo que tú crees?

Jen se recostó en el respaldo del asiento y se quedó pensativa un momento.

–Lo único que sé es que yo sí le quiero –contestó Jen por fin–. Tanto si él me quiere como si no, estoy enamorada de Nate.

–Dime, ¿qué vas a hacer respecto a Nate?

–No lo sé. Voy a ver a Nate ahora y, según cómo vaya la cosa, decidiré si llamo a Russull o no. La verdad es que no sé nada de sus clubs.

–Yo tampoco –repuso Marcia–. Después de que acueste a Riley, miraré en Internet.

–Gracias, Marcia. Gracias por todo lo que has hecho por mí, y por darme un hogar cuando tenía problemas.

Marcia se levantó de la mesa y le dio un abrazo.

–Las familias están para eso –dijo Marcia.

Capítulo Catorce

Nate estaba sentado en un banco, en el parque, cuando vio a Jen aproximarse.

–Hola, Nate –dijo ella, sentándose a su lado.

–Hola, Jen.

–¿Para qué querías verme? –preguntó Jen sin preámbulos.

Se la veía cansada, como si llevara varios días sin dormir. No pudo evitar preguntarse si estar separados esos días la había hecho sufrir a ella tanto como a él.

–¿Has hablado con Holloway?

–No. ¿Has quedado conmigo para hablar de eso?

–Sí.

–La verdad es que todavía no sé si le voy a llamar o no. Quiero pensarlo bien antes de tomar una decisión, y en estos momentos tengo mucho trabajo preparando la fiesta, así que no he tenido tiempo para reflexionar. La última vez que he actuado impulsivamente… digamos que la cosa no salió como esperaba.

–¿Te refieres a mí?

–Sí, me refiero a ti. Llevamos dos días sin vernos porque me has estado evitando. Y ahora que quieres hablar conmigo, es para preguntarme qué pienso hacer respecto a mi trabajo.

Nate sabía que Jen tenía razón.

—De todos modos, Jen, no es de extrañar que te lo pregunte. Estás en un momento de cambio en tu vida, no es de extrañar que quiera saber si te vas a marchar o no.

—¿Te importaría mucho si me marchara?

—Naturalmente, Jen. Te tengo mucho cariño —respondió él, incapaz de decir nada más.

—No es suficiente. Sobre todo, después de haberte confesado mi amor.

—Lo sé.

Jen se puso en pie.

—¿Por qué no puedes decirme que me amas? No tienes problemas en decirme que me deseas, pero eres incapaz de hablar de amor. ¿Por qué? ¿Tan poco te importo?

Nate sabía que la situación estaba escapando a su control.

—Estás disgustada y así no se puede mantener una conversación.

—No estoy disgustada, estoy decepcionada. Por fin, cuando encuentro a un hombre del que me enamoro de verdad, es incapaz de decirme que me quiere.

—Sé que eres importante para mí, Jen.

—Lo siento, Nate, pero no es suficiente. Si no puedes decirme que me quieres, no tenemos nada más que hablar. No puedo seguir contigo, enamorada de ti, sabiendo que tú no lo estás de mí. No, Nate, eso acabaría conmigo. No quiero vivir así.

Y tras esas palabras, Jen se dio media vuelta y se alejó, dejándole solo y más triste que nunca.

***

Jen tardó unos días en hablar con Russell Hollo-way, cuando por fin lo hizo, fue para rechazar su muy generosa oferta de trabajo. No quería renunciar a su familia ni a la ciudad en la que quería vivir. No quería que nadie, ni siquiera Nate, la hiciera huir.

A partir de ese momento, se lanzó de lleno a trabajar. Pasaba el día entero en el Luna Azul. Quería que su trabajo, la coreografía y el baile que iba a presentar en la fiesta del décimo aniversario, fueran impecables. Nate debía estar muy ocupado, y ni un solo día había asomado la cabeza por la sala de ensayos.

Una noche que estaba ensayando sola, oyó una voz a sus espaldas:

–Ya es hora de que te vayas a casa.

Jen volvió la cabeza y vio a Cam en la puerta.

–Todavía no. Quiero ensayar un par de cosas que Hutch me ha sugerido. Tengo que prepararlo con los bailarines para que lo vea Hutch antes de marcharse de Miami.

–Los bailarines son buenos, igual que tú –repuso Cam–. Vamos, necesitas descansar. Y lo sabes.

–Sí, lo sé –pero en casa no descansaba. Llevaba dos semanas sin poder dormir bien, desde que había roto con Nate en el parque.

–¿Por qué estás aquí todavía, ya casi medianoche? –le preguntó Cam.

–Estoy bien, en serio. No te preocupes –insistió Jen.

–¿Estás bien… aunque Nate y tú ya no salís juntos? –preguntó Cam, sorprendiéndola.

–No quiero hablar de eso contigo –Jen comenzó a recoger sus cosas–. Bueno, supongo que tienes razón, será mejor que me vaya a casa ya.

–No, todavía no. Ya que estás aquí, y como sé que mi hermano no consigue pegar ojo por las noches, me gustaría saber qué ha pasado entre los dos.

–¿Por qué no se lo preguntas a Nate? –preguntó ella a su vez.

–No puedo hablar con él. Últimamente, está insoportable y se niega a contar lo que le ocurre.

Jen trató de asimilar la información.

–Y, además, me ha pedido que viniera para ver cómo estabas –añadió Cam.

–Estoy bien.

–¿En serio?

–No, Cam, no estoy bien. Quiero a Nate y el no me quiere a mí. Y, para colmo de males, trabajo en su club. Es un verdadero martirio, pero no puedo hacer nada por evitarlo.

Cam asintió lentamente.

–Entiendo. Por eso es por lo que estás trabajando tanto, ¿no?

–¿Qué otra cosa puedo hacer?

Cam le lanzó una sonrisa burlona.

–Soy el menos indicado para contestar a esa pregunta. Lo único que hago es trabajar… porque el trabajo hace que me sienta menos solo.

–Lo siento.

–No lo sientas, vivo la vida que quiero.

Jen agarró la bolsa y se la colgó del hombro.

–Cam, dile a Nate que no se preocupe por mí. Y gracias por todo.

–De nada. Ya sabes que puedes contar conmigo para lo que sea.

A través de la ventana, Nate la vio salir del club y caminar despacio hacia su coche. A pesar de haber roto con ella, no podía dejar de pensar en Jen. No conseguía quitársela de la cabeza. Lo que más deseaba era correr a su lado y pedirle perdón por hacerla sufrir.

Oyó unos pasos a sus espaldas y, al volverse, vio a Cam acercándose a él.

–¿Qué te ha dicho? –preguntó Nate a su hermano.

–Creo que tienes que hablar con ella –contestó Cam, sacudiendo la cabeza.

–¿Crees que no quiero hacerlo? Quiero estar con ella, Cam.

–En ese caso, Nate, ve a buscarla. No hay motivo por el que tengáis que estar separados y sufriendo.

–¿Lo está pasando mal Jen?

–En mi opinión, no ha debido dormir ni una sola noche desde que os separasteis. Ha adelgazado y se pasa todo el tiempo en el club ensayando, preparándose para la fiesta del aniversario; a pesar de que ni siquiera sabemos si vamos a poder celebrarlo debido a la oposición del comité de la comunidad.

–Por nada del mundo quiero que sufra, Cam.

–¿Qué es lo que quieres entonces?

–Quiero tener a Jen a mi lado. Quiero que forme parte de mi vida, Cam.

–¿Y qué te lo impide?

Su obstinación, pensó Nate. Y el hecho de que tenía miedo de admitir lo más importante de su vida.

La amaba.

Así de sencillo. Lo sabía desde hacía tiempo, pero había tenido miedo de reconocer lo que sentía por ella.

–Necesito tu ayuda, Cam. Necesito que me ayudes para demostrarle a Jen que la quiero.

–¿Qué quieres que haga? –le preguntó su hermano.

–Necesito hacer las cosas bien. Voy a pedirle que se case conmigo. Quiero compensarle por lo mal que me porté con ella cuando me confesó su amor. Así que te voy a decir lo que quiero que hagamos…

Capítulo Quince

Jen trató de relajarse en el balneario del Ritz Carlton en Coconat Grove. Se había sorprendido mucho cuando un mensajero, enviado por Cam, se había presentado a las diez de la mañana en su casa para decirle que tenía el día libre. Al parecer, Cam quería que se diera un capricho y descansara antes de ir al club por la tarde, a las cinco.

El mensajero la había conducido al balneario y la esperaba fuera para llevarla a su casa cuando hubiera terminado.

Le habían dado un masaje y la habían tratado como a una reina, y le había encantado. Se había hecho la manicura, la pedicura y un tratamiento facial. Y todo ello la había entristecido porque iba a salir de allí radiante y hermosa, pero Nate, el único hombre que le importaba, no lo iba a apreciar.

Tenía que dejar de pensar en él, pero no podía. No hacía más que mirar la foto que tenía en el móvil de ellos dos en el barco. Hacía justo dos semanas que habían roto.

Le habría gustado poder decir que ya no le amaba, pero no era así. Su corazón seguía insistiendo en que Nate era el hombre de su vida.

El teléfono sonó cuando estaba terminando.

–Hola, Marcia.

–Jen, estoy libre al mediodía y se me ha ocurrido que podríamos ir de compras –le dijo su hermana.

–¿Dónde quieres que nos encontremos? El Luna Azul me ha enviado un chófer hoy.

–Me pasaré a recogerte para ir a Nordstrom´s a comprar ropa. Necesito un vestido para una cena la semana que viene con los abogados de la empresa. Creo que me van a ofrecer que me asocie con ellos.

–¿En serio? –dijo Jen–. Eso es estupendo. Por fin, tanto trabajo va a tener sus compensaciones.

–Sí, eso creo. Y a ti te pasará lo mismo, ya lo verás. Me apetece mucho ir de compras contigo.

–Y a mí –respondió Jen–. El masaje y los tratamientos me han dejado increíblemente relajada. Ir de compras es la forma perfecta de continuar el día.

–Genial. Estaré ahí dentro de quince minutos.

–Estupendo. Por cierto, ¿no tenemos que ir a recoger a Riley al colegio?

–No, Lori va a ir a buscarlo.

Veinte minutos más tarde, Jen estaba en el coche de su hermana de camino a Nordstrom´s. Pasaron horas probándose vestidos y ambas se compraron ropa nueva. Se divirtieron y, durante ese tiempo, ella se olvidó de que tenía destrozado el corazón.

Lo que fue un descubrimiento; porque, por primera vez en dos semanas, se había dado cuenta de que podía disfrutar de la vida sin Nate. No sería tan feliz como con él, pero tampoco iba a ser una desgraciada.

El móvil sonó justo cuando llegaron a su casa y,

al mirar la pequeña pantalla, vio que era un mensaje de Nate:

Necesito verte esta tarde. Por favor, reúnete conmigo en la terraza del club a las cinco y media.

–Nate quiere verme esta tarde. ¿Para qué será?

Marcia se encogió de hombros.

–No lo sé.

–¿Crees que es porque, al saber que he rechazado el trabajo que me ofreció Russell, quiere hacerme cambiar de parecer y convencerme de que lo acepte? ¿Crees que quiere que me vaya?

–No creo que sea eso.

–¿Y si lo es? ¿Y si Nate no quiere que siga en el club?

–Para. Estás diciendo disparates. Vamos, vístete y ve a ver qué es lo que quiere Nate. Y otra cosa, creo que deberías ponerte ese vestido rojo que te has comprado hoy, para que vea lo que se está perdiendo.

Jen se quedó mirando a su hermana.

–¿Lo dices en serio?

–Sí, completamente.

Entonces, Jen envió un mensaje de respuesta a Nate, diciéndole que se reuniría con él aquella tarde para cenar.

No podía imaginar qué quería Nate. Lo único que sabía era que la idea de verle la había puesto nerviosa. Le echaba de menos.

Se vistió, se maquilló y se peinó con esmero. Y cuando se puso aquel vestido rojo ceñido y los altos tacones, sabía que estaba muy guapa.

Al salir de la habitación, Marcia lanzó un silbido.

–Vas a dejarle sin aliento.

–Está acostumbrado a salir con modelos, Marcia –contestó Jen–. Casi tengo miedo.

–No te preocupes, todo va a ir bien.

–¿Estás segura?

–No, no lo estoy, pero quiero que todo te salga bien, Jen. Una de las dos merece ser feliz con el hombre al que ama.

Nate nunca había estado tan nervioso como ahora, esperando a Jen. La terraza parecía un paraíso en miniatura. Había flores por todas partes y Emma, la planificadora de eventos, había llevado hasta fuentes y árboles adornados con lucecillas de colores y lamparillas japonesas. El camino que iba de la entrada a la terraza hasta el lugar en el que iban a cenar estaba alfombrado con pétalos de rosas. En cuanto a él, iba vestido con esmoquin y tenía una botella de champán en una cubeta de hielo.

Nate llevaba en el bolsillo un anillo de compromiso, que había elegido tras horas de ir de joyería en joyería hasta encontrar el que le había parecido apropiado para Jen.

Había ensayado mentalmente lo que quería decirle, pero no sabía cómo iba a salirle la confesión de amor. Sin embargo, no estaba dispuesto a que el miedo le detuviera. Esa noche iba a pedirle a Jen que se casara con él, iba a decirle que la amaba.

Había invitado a sus hermanos y también a la

hermana de Jen y a Riley a que se reunieran con ellos más tarde, a los postres. Y esperaba que, realmente, tuvieran algo que celebrar.

El teléfono sonó, indicándole que tenía un mensaje… de Cam:

Ya está aquí.

Deséame suerte, respondió él en otro mensaje.

Preparó la música, una canción de Dean Martin, para que sonara tan pronto como ella apareciera. Y, a partir de ese momento, solo le quedaba esperar.

Tan pronto como la vio, se quedó sin respiración. Estaba sumamente hermosa. No, era la mujer más hermosa del mundo. No podía dejar de mirarla. Pero al verla detenerse y quedárselo mirando, temió que fuera a darse la vuelta y a marcharse.

–Estás impresionante –dijo Nate–. Ven aquí.

–Gracias –respondió ella, pero sin moverse de donde estaba–. Te sienta bien el esmoquin.

Nate agradeció el cumplido con una inclinación de cabeza.

–Por favor, Jen, acércate.

–Creo que estoy soñando, Nate –dijo ella, sacudiendo la cabeza–. Tengo miedo de que, al dar un paso más, me despierte y descubra que todo esto es… un sueño.

–¿Qué podría convencerte de que es real?

–Tú.

Nate comprendió las palabras de Jen. Se acercó a ella, le tomó la mano, se la llevó a los labios y la besó.

–¿Y esto, te parece real?

Entonces, Nate le rozó los labios con las yemas de los dedos.

–Lo tengo todo planeado. Ven conmigo, siéntate y te lo contaré.

–¿Tienes un plan?

–Sí. Y es importante que todo salga según el plan.

–¿Sí?

–Sí. Quiero compensarte por todo lo que te he hecho sufrir.

Nate la condujo a la mesa, la ayudó a sentarse y luego se colocó delante de ella. Quería mantener la calma, pero no sabía si lo conseguiría.

–Te amo.

–¿Estás seguro? –preguntó Jen.

–Sí, lo estoy –respondió Nate–. Maldita sea, no es esto lo que tenía pensado. Pero quiero que sepas que te quiero desde hace mucho, lo que ocurre es que tenía miedo de decírtelo.

Jen se humedeció los labios con la lengua y él lanzó un gemido, anhelando saborear su boca.

–¿Y tú, todavía me quieres?

–Sí, te quiero. He llegado a la conclusión de que siempre te querré.

–Estupendo. Quiero… –Nate se interrumpió e hincó una rodilla en el suelo–. Quiero pedirte que te cases conmigo. ¿Lo harás, Jen? ¿Estás dispuesta a que pasemos juntos el resto de nuestras vidas?

Jen se lo quedó mirando y Nate se dio cuenta de que se había olvidado del anillo. Se metió una mano en el bolsillo, pero ella le detuvo al ponerle las manos en los hombros.

–¿Estás seguro, Nate? Si me pides que me case contigo, no voy a permitirte que cambies de parecer.

–Completamente seguro, Jen. Nunca lo había pasado tan mal como el tiempo que hemos estado separados. Te necesito, Jen. Te amo.

–Oh, Nate, yo también te amo. Pero… ¿podrías dejar de aparecer en los periódicos con otras mujeres?

–¡Sí!

–En ese caso, me casaré contigo.

Nate se puso en pie, se sacó una cajita de terciopelo del bolsillo, la abrió, agarró el anillo, lo deslizó por su dedo. Entonces, la hizo levantarse, la rodeó con los brazos y la besó.

–Gracias por quererme. Has enriquecido mi vida.

Ella le sonrió.

–Lo mismo digo.

Cenaron bajo las estrellas y hablaron del futuro. Y cuando sus familias se reunieron con ellos a los postres, Nate se dio cuenta de lo maravillosa que era su vida. Con Jen a su lado, lo tenía todo.

En el Deseo titulado *Y por las noches…*,
de Katherine Garbera,
podrás continuar la serie
LUNA AZUL

Inocente en el paraíso

KATE CARLISLE

Grace Farrell era una investiga-
dora científica primero, una mujer
en segundo lugar… hasta que
conoció a Logan Sutherland. El
multimillonario hecho a sí mismo
era sencillamente irresistible y,
con él, Grace descubriría algo
que no había experimentado
hasta entonces: qué se sentía al
desear a un hombre.

Logan se había fijado en Grace
desde el momento que llegó a su
isla tropical, pero al descubrir
que estaba allí bajo premisas fal-
sas le ordenó que se marchase.
Y, enfrentado a su obstinada ne-
gativa, el cínico soltero decidió aprovecharla a su favor.
Dejaría que se quedase… en su cama. Pero ¿una sola
noche sería suficiente?

Lo conocía todo salvo el deseo

¡YA EN TU PUNTO DE VENTA!

Acepte 2 de nuestras mejores novelas de amor GRATIS

¡Y reciba un regalo sorpresa!

Oferta especial de tiempo limitado

Rellene el cupón y envíelo a

Harlequin Reader Service®
3010 Walden Ave.
P.O. Box 1867
Buffalo, N.Y. 14240-1867

¡Sí! Por favor, envíenme 2 novelas de amor de Harlequin (1 Bianca® y 1 Deseo®) gratis, más el regalo sorpresa. Luego remítanme 4 novelas nuevas todos los meses, las cuales recibiré mucho antes de que aparezcan en librerías, y factúrenme al bajo precio de $3,24 cada una, más $0,25 por envío e impuesto de ventas, si corresponde*. Este es el precio total, y es un ahorro de casi el 20% sobre el precio de portada. !Una oferta excelente! Entiendo que el hecho de aceptar estos libros y el regalo no me obliga en forma alguna a la compra de libros adicionales. Y también que puedo devolver cualquier envío y cancelar en cualquier momento. Aún si decido no comprar ningún otro libro de Harlequin, los 2 libros gratis y el regalo sorpresa son míos para siempre.

416 LBN DU7N

Nombre y apellido	(Por favor, letra de molde)	
Dirección	Apartamento No.	
Ciudad	Estado	Zona postal

Esta oferta se limita a un pedido por hogar y no está disponible para los subscriptores actuales de Deseo® y Bianca®.
*Los términos y precios quedan sujetos a cambios sin aviso previo.
Impuestos de ventas aplican en N.Y.

SPN-03   ©2003 Harlequin Enterprises Limited

Bianca.

No podía olvidar aquellas ardientes noches en el desierto…

Doce años atrás, en el desierto de Burquat, Julia le había entregado su corazón al jeque Kaden. Sus ardientes noches en las dunas, bajo un manto de estrellas, le habían hecho pensar que eran los únicos seres humanos en el planeta… hasta que una amarga traición lo destruyó todo.

Cuando volvió a encontrarse con Kaden por casualidad, Julia decidió ignorar los recuerdos del pasado, pero el magnetismo sexual de Kaden hacía que la llamada del desierto fuese tan poderosa…

La llamada del desierto

Abby Green

Deseo

Términos de compromiso
ANN MAJOR

El millonario Quinn Sullivan estaba a punto de conseguir la empresa de su enemigo. Solo tenía que casarse con la hija menor de su rival. Sin embargo, cuando Kira Murray le rogó que no sedujera a su hermana, Quinn se sintió intrigado.

Por fin una mujer que se atrevía a desafiarlo, una mujer que le provocaba sentimientos mucho más intensos que los que albergaba por su prometida. Ahora el magnate tenía un nuevo plan: se olvidaría de la boda… pero solo por un precio que la encantadora Kira debía pagar de buena gana.

Solo bajo sus condiciones

[8]

¡YA EN TU PUNTO DE VENTA!